日本語能力試験 完全模試 シリーズ

ゼッタイ合格！

日本語能力試験完全模試

N3

Japanese Language Proficiency Test N3—Complete Mock Exams
日语能力考试　完全模拟试题　N3
일본어능력시험　완전모의고사　N3

渡邉亜子／菊池富美子／日置陽子／黒江理恵／森本智子／高橋尚子／有田聡子●共著

Jリサーチ出版

はじめに

　本書は、日本語能力試験のN1からN5のレベルのうち、N3の試験対策を目的に、3回分の模擬試験を用意しました。

　本書の特徴は、問題数が豊富であることです。模擬試験が3回分収録されていますから、試験直前にとにかくたくさん問題を解きたいという場合に使うことはもちろん、試験の傾向を知るために1回、少し勉強してから1回、試験直前に1回といった使い方をすることもできます。本書を使って本番と同じ形式の問題を3回解いてみれば、試験の特徴は十分につかめるでしょう。

　また、本書では、あまり時間がない中でも必要な試験対策がとれるよう、解説を工夫しました。問題を解いて答えの正誤を知るだけでなく、効率よく、正解を導くためのポイントを学んだり、今まで学んできた知識を整理したりできるようになっています。

　N3に合格するためには、幅広い日本語の知識とそれを適切に運用する力が求められます。本書を使って繰り返し学習することによって、弱いところや苦手なところを補強し、日本語能力の向上を目指してください。

　本書がN3合格を目指す皆さんのお役に立てることを願っています。

著者・編集部一同

もくじ

はじめに・・・ 2

この本の使い方・・・・・・・・・・・・・・・・・・・・・・・・・・・・・・・・・・・・ 4

「日本語能力試験N3」の内容・・・・・・・・・・・・・・・・・・・・・ 5

模擬試験 第1回　解答・解説・・・・・・・・・・・・・・・・・ 13

模擬試験 第2回　解答・解説・・・・・・・・・・・・・・・・・ 35

模擬試験 第3回　解答・解説・・・・・・・・・・・・・・・・・ 57

付録「試験に出る重要語句・文型リスト」・・・・・・・・・・ 79

〈別冊〉

模擬試験 第1回　問題・・・・・・・・・・・・・・・・・・・・・・・・・ 1

模擬試験 第2回　問題・・・・・・・・・・・・・・・・・・・・・・・・・ 39

模擬試験 第3回　問題・・・・・・・・・・・・・・・・・・・・・・・・・ 77

採点表・・ 115

解答用紙・・・・・・・・・・・・・・・・・・・・・・・・・・・・・・・・・・・・・・・ 117

この本の使い方

〈この本の構成〉

- 模擬試験は全部で3回あります。
- 問題と解答用紙は付属の別冊に、解答・解説はこちらの本冊に収めてあります。
- 聴解用のCDは各回に1枚ずつ、計3枚あります。

➡ 音声ダウンロードの方法は、p.10をご覧ください。

〈この本の使い方〉

① 3回の模擬試験は（一度に続けてではなく）、それぞれ決められた時間にしたがって別々にしてください。

※ 解答用紙は切り取るか、コピーをして使ってください。

※ 「言語知識（文字・語彙）」「言語知識（文法）・読解」では、解答にかける時間について目標タイムを設け、大きな問題ごとに示しています。参考にしながら解答してください。

② 解答が終わったら、「解答・解説」を見ながら答え合わせをしましょう。間違ったところはよく復習しておいてください。

※ 解説や付録の「試験に出る重要語句・文型リスト」を活用しましょう。

③ 次に、採点表（別冊p.115～116）を使って採点をして、得点を記入してください。得点結果をもとに、力不足のところがないか、確認してください。得点の低い科目があれば、特に力を入れて学習しましょう。

「日本語能力試験 N3」の内容

1. N3 のレベル

日常的な場面で使われる日本語をある程度理解することができる。

読む
- 日常的な話題について書かれた**具体的な内容を表す文章**を、読んで、理解することができる。
- 新聞の見出しなどから情報の概要をつかむことができる。
- 日常的な場面で目にする難易度がやや高い文章は、言い換え表現が与えられれば、要旨を理解することができる。

聞く
- 日常的な場面で、やや自然に近いスピードのまとまりのある会話を聞いて、話の具体的な内容を登場人物の関係などとあわせてほぼ理解できる。
 *登場人物：話の中に出てくる人

2. 試験科目と試験時間

- 「言語知識（文法）」と「読解」は同じ時間内に、同じ問題用紙、同じ解答用紙で行われます。自分のペースで解答することになりますので、時間配分に注意しましょう。

	言語知識（文字・語彙）	言語知識（文法）・読解	聴解
時間	30分	70分	40分

3. 合否（＝合格・不合格）の判定

- 「総合得点」が「合格点」に達したら、合格になります。確実に6〜7割の得点が得られるようにしましょう。
- 「得点区分別得点」には「基準点」が設けられています。「基準点」に達しなければ、「総合得点」に関係なく、不合格になります。苦手な科目をつくらないようにしましょう。

	言語知識（文字・語彙・文法）	読解	聴解	総合得点	合格点
得点区分別得点	0〜60点	0〜60点	0〜60点	0〜180点	95点
基準点	19点	19点	19点		

4．日本語能力試験 N3 の構成

		大問	小問数	ねらい
言語知識 (30分)	1	漢字読み	8	漢字で書かれた語の読み方を問う。
	2	表記	6	ひらがなで書かれた語が漢字でどのように書かれるかを問う。
	3	文脈規定	7	文脈によって意味的に規定される語が何であるかを問う。
	4	言い換え類義	5	出題される語や表現と意味的に近い語や表現を問う。
	5	用法	5	出題語が文の中でどのように使われるのかを問う。
言語知識・読解 (70分) 文法	1	文の文法1（文法形式の判断）	13	文の内容に合った文法形式かどうかを判断することができるかを問う。
	2	文の文法2（文の組み立て）	5	統語的に正しく、かつ、意味が通る文を組み立てることができるかを問う。
	3	文章の文法	5	文章の流れに合った文かどうかを判断することができるかを問う。
読解	4	内容理解（短文）	4	生活・仕事などいろいろな話題も含め、説明文や指示文など150～200字程度のテキストを読んで、内容が理解できるかを問う。
	5	内容理解（中文）	6	書き下ろした解説、エッセイなど350字程度のテキストを読んで、キーワードや因果関係などが理解できるかを問う。
	6	内容理解（長文）	4	解説、エッセイ、手紙など550字程度のテキストを読んで、キーワードや因果関係などが理解できるかを問う。
	7	情報検索	2	広告、パンフレットなどの書き下ろした情報素材（600字程度）の中から必要な情報を探し出すことができるかを問う。
聴解 (40分)	1	課題理解	6	まとまりのあるテキストを聞いて、内容が理解できるかどうか（次に何をするのが適当か理解できるか）を問う。
	2	ポイント理解	6	まとまりのあるテキストを聞いて、内容が理解できるかどうか（ポイントを絞って聞くことができるか）を問う。
	3	概要理解	3	まとまりのあるテキストを聞いて、内容が理解できるかどうか（テキスト全体から話者の意図や主張が理解できるかどうか）を問う。
	4	発話表現	4	イラストを見ながら、状況説明を聞いて、適切な発話が選択できるかを問う。
	5	即時応答	9	質問などの短い発話を聞いて、適切な応答が選択できるかを問う。

※ 小問数は大体の予定の数で、実際にはこれと異なる場合があります。本書は、国際交流基金編著『日本語能力試験　公式問題集　N3』（2012年、凡人社）の内容を参考に構成しました。

試験に関する最新情報は、日本語能力試験の公式ホームページ（☞ https://www.jlpt.jp）でご確認ください。

N3各問題のパターンと解答のポイント

言語知識（文字・語彙）

問題1【漢字読み】　漢字の正しい読みを選ぶ。

よく出る問題・語句
- 訓読みの難しいもの（例 補う　逆さ）
- 伸ばす音か伸ばさない音か（例 郵送－輸送　商店－書店）
- 詰まる音（っ）か詰まらない音か（例 学校－学生　特急－特例）
- 「゛」や「゜」の付く音か付かない音か（例 状態－招待　文法－方法）
- 「漢字＋漢字」で音が変化するかしないか（例 食器－食事　神社－会社　新品－商品）

★間違いとわかるものはすぐに消して、残った中から答えを見つけよう。普段から訓読みに注意。

問題2【表記】　ひらがなの部分の正しい漢字を選ぶ。

よく出る問題・語句
- 音読みは、形や音が似ている語に注意（例 けんせつ－1 建説　2 健説　③建設　4 健設）
- 訓読みは、形や意味が似ている漢字に注意（例 洗　流　注　汚）

問題3【文脈規定】　文に合う語を選ぶ。

よく出る問題・語句
- 似ているが意味の違う語（例 見学－見物　会う－合う）
- 同じ漢字を持つ語、形が似ている語（例 検査－検討）
- ＊慣用的な表現（例 目が回る＝とても忙しい様子）

＊慣用的な：idiomatic／慣用的／관용적인

問題4【言い換え類義】　意味がほぼ同じで、言い換えができる語を選ぶ。

★やや難しい言葉の意味などについての問題。特にカタカナの言葉に注意。

問題5【用法】　文の中で正しく使われているものを選ぶ。

よく出る問題・語句
- 前後の語とのつながりは正しいか
- 使われている場面は適当か

言語知識（文法）

問題1【文の文法1（文法形式の判断）】 文に合う文型を選ぶ。

★ 前の語とのつながりが正しいか、後に続く内容が合っているか、がポイント。意味と形の両方に注意する。

問題2【文の文法2（文の組み立て）】 語を並べ替えて文を完成させる。

★ 並べ替えたときに ★ のところに来る語（⇒正解の番号）を間違えないように注意。

《問題例》
つぎの文の ★ に入る最もよいものを、1・2・3・4の中から一つ選びなさい。

パーティーに ＿＿＿ ＿＿＿ ★ ＿＿＿ 決めていない。
1 着て　　　2 まだ　　　3 行くか　　　4 何を

（解答のしかた）
パーティーに 何を 着て 行くか まだ 決めていない。

（答え：3）

問題3【文章の文法】 文章を読んで文法的に合っている語を入れる。

《問題例》
つぎの文章を読んで、文章全体の内容を考えて、 19 から 23 の中に入る最もよいものを、1・2・3・4から一つ選びなさい。

　近年、EUを中心に、動物実験に反対する動きが世界的に広がっている。先日も、さくら化粧品が、今後は動物実験を行わないと発表した。これは、EUで、動物実験をした製品の販売が禁止になることに対応したものだ。さくら化粧品 19 、現在では、動物実験をしなくても、人体への影響や効果をかなり正確につかめるようになっているそうだ。技術の進歩は人間のためだけではいけない。今回の例からも、 20 そう思った。・・・（以下略）

19
1 に対して　　　2 によると　　　3 として　　　4 とともに

20
1 しかし　　　2 なぜなら　　　3 あらためて　　　4 とりあえず

（答え： 19 2　 20 3）

読解

● ポイント ●

1 指示語（これ、それ、あの〜、そんな〜、など）の内容をつかむ。
2 文の最後の部分に注意する。
3 接続詞（だから、しかし、また、など）に注意しながら、文の流れを読みとる。
4 別の言葉で表現していること、繰り返し述べていることは重要。
5 *否定したり疑問を述べたりした後、また逆接の接続詞（しかし、ところが、など）の後に自分の意見や考えを述べることが多い。　*否定する：to deny／否认／부정한다
6 大事な所やわからない所を丸で囲ったり線を引いたりしながら読む。

問題4【内容理解（短文）】 150〜200字くらいの文章を読んで内容が理解できるかを問う。

よく出る問題・語句
- 筆者が最も言いたいことは何か
- 筆者の考えに合うのはどれか
- 筆者は（何が／どのように／どんな…）と考えているか

★文章の主題(主なテーマ)をとらえる。

問題5【内容理解（中文）】 350字くらいの文章を読んで理由や原因、筆者の考えなどが理解できるかを問う。

よく出る問題・語句
- …理由／原因は何か（〜はどうして…か）
- …たのはなぜか
- ○○○とはどういう意味か／（ここでの）○○○とは何か
- 筆者の考えによると…何か
- 〜について筆者が最も言いたいことは何か

★①指示語(これ、そのこと、あのように、など)の内容をつかむ→そのすぐ前か、少し前が指示内容である場合が多い。
②下線部の内容については、＜表現は違うが同じことを述べている部分＞＜前か後に示された具体的な例＞に注目する。

| 問題6【長文（内容理解）】 | 550字くらいの文章を読んで、全体としての主な内容や考え方が理解できるかを問う。 |

よく出る問題・語句
- 新聞の記事やエッセイなど
- 「社会・人生・文明・歴史・芸術など」をテーマにしたもの

★意見や考えが表れる部分（〜ではないか、〜と思う、〜気がする、など）に注意する。

| 問題7【情報検索】 | 情報素材（600字程度）の中から必要な情報を探し出すことができるかを問う。 |

よく出る問題・語句
- 広告
- パンフレット（商品やサービスの内容）
- ポスター・チラシ（イベント案内や募集など）
- 情報誌（求人や不動産など）
- 仕事関係の書類

★時間や場所、方法、条件など、よく使われる語句を知っておく。

🔊 音声ダウンロードのご案内

STEP 1 商品ページにアクセス！ 方法は次の3通り！
- QRコードを読み取ってアクセス。
- https://www.jresearch.co.jp/book/b282490.html を入力してアクセス。
- Jリサーチ出版のホームページ（https://www.jresearch.co.jp/）にアクセスして、「キーワード」に書籍名を入れて検索。

STEP 2 ページ内にある「音声ダウンロード」ボタンをクリック！

STEP 3 ユーザー名「1001」、パスワード「21375」を入力！

STEP 4 音声の利用方法は2通り！ 学習スタイルに合わせた方法でお聴きください！
- 「音声ファイル一括ダウンロード」より、ファイルをダウンロードして聴く。
- 「▶」ボタンを押して、その場で再生して聴く。

※ ダウンロードした音声ファイルは、パソコン・スマートフォンなどでお聴きいただくことができます。一括ダウンロードの音声ファイルは .zip 形式で圧縮してあります。解凍してご利用ください。ファイルの解凍が上手く出来ない場合は、直接の音声再生も可能です。

●音声ダウンロードについてのお問合せ先●
toiawase@jresearch.co.jp （受付時間：平日9時〜18時）

聴解

● ポイント ●

1 音声は1回しか聞けないので、1問1問集中して聴く。
2 解答に迷っても、そこで時間をかけない（→次の問題に集中できなくなる）。
3 質問文をしっかり聞き取る。
4 主語（○○は、○○が）や目的語（○○を）など、会話では*省略が多いので注意する。

＊省略：omission ／省略／생략

問題1【課題理解】
二人の会話を聞いて、内容が理解できるかどうかを問う。

流れ
1 問題文を聞く
2 選択肢を見る
3 説明と質問（1回目）を聞く
4 会話を聞く
5 質問（2回目）を聞く→解答

よく出る問題・語句
- 〜はこの後、どうしますか。
- 〜は何をしなければなりませんか。

★「何が必要かに注意して聴く。相手の言ったことに対して、「それは必要ない、必要なくなった」「それもそうだけど…」などと返すことが多い。

問題2【ポイント理解】
二人の会話または一人のスピーチなどを聞いて、ポイントがつかめるかどうかを問う。

流れ
1 問題文を聞く
2 選択肢を軽く見る
3 説明と質問（1回目）を聞く
4 選択肢を見る（約20秒）
5 会話を聞く
6 質問（2回目）を聞く→解答

よく出る問題・語句
- 「〜は何が／何を／どのように／どうして…」と言っていますか。
- 「最も〜は何だ／どこだ」と言っていますか。

★最初に聞いた質問を頭に置いて、会話を聞く。誰についてのことなのか（「男の人」か「女の人」か、店員か客か、など）も間違わないように注意する。

問題3【概要理解】
一人の話または二人の会話を聞いて、主な内容を理解できるかを問う。

流れ
※ 選択肢は問題用紙に印刷されていない。
1. 説明を聞く
2. 話を聞く
3. 質問を聞く
4. 選択肢を聞く→解答

よく出る問題・語句
- 〜は何について話していますか。
- 話のテーマは何ですか。／どのようなテーマで話していますか。
- 〜はどう考えていますか。

★「何についてか」「何がテーマか」「何が言いたいのか」を頭に置いて聞く(細かい部分はあまり重要ではない)。

問題4【発話表現】
絵を見ながら、状況説明を聞いて、それに合った表現が選べるかを問う。

流れ
1. 絵を見る
2. 状況説明と質問を聞く
3. 選択肢を聞く→解答

よく出る問題・語句
- 〜ませんか。
- 〜ましょうか。
- 〜てくれませんか。
- 〜てください。
- 〜てもいい／〜てはいけない。
- 〜たほうがいい。

★選択肢は10〜15字くらいの短い文。←文の終わりの部分に注意。相手に対してどんな機能を持つ表現か(お願い、提案、お礼など)がポイント。

問題5【即時応答】
相手の短い質問やあいさつなどに対して、それに合った答え方が選べるかを問う。

流れ
1. 一組の会話のうち、先に話す方を聞く
2. 選択肢(会話の後の方)を聞く→解答

よく出る問題・語句
- 大丈夫です。
- 結構です。
- 〜て(も)いい。
- 〜ておく／〜とく
- 〜てくれませんか。／〜てもらえませんか。

★選択肢は8〜12字くらいの短い文。音を聞いているだけだと、どれも合っているように思ってしまうので注意。全部聞いてから選ぶのではなく、一つ一つについて、合っているか、合っていないか、チェックする。×や○、△などをつけるとよい。

模擬試験 第1回 解答・解説

正答一覧

言語知識（文字・語彙）

問題1

1	4
2	2
3	1
4	4
5	2
6	3
7	4
8	2

問題2

9	3
10	1
11	3
12	2
13	4
14	1

問題3

15	1
16	3
17	1
18	2
19	4
20	2
21	3
22	1
23	3
24	2
25	4

問題4

26	4
27	2
28	4
29	2
30	3

問題5

31	2
32	2
33	1
34	3
35	4

言語知識（文法）・読解

問題1

1	2
2	1
3	4
4	3
5	2
6	3
7	2
8	3
9	4
10	1
11	3
12	4
13	1

問題2

14	2
15	3
16	1
17	1
18	2

問題3

19	4
20	4
21	1
22	4
23	2

問題4

24	2
25	4
26	3
27	3

問題5

28	1
29	3
30	2
31	4
32	4
33	2

問題6

34	4
35	2
36	2
37	4

問題7

38	2
39	4

聴解

問題1

れい	1
1	3
2	3
3	4
4	2
5	1
6	3

問題2

れい	1
1	1
2	4
3	3
4	2
5	1
6	4

問題3

れい	2
1	3
2	1
3	3

問題4

れい	1
1	2
2	1
3	3
4	3

問題5

れい	2
1	2
2	1
3	3
4	3
5	3
6	3
7	1
8	2
9	2

※ 解説では「言葉と表現」でN3レベルの語を取り上げ、チェックボックス（□）を付けています。説明のために取り上げた一部の難しい語には△を付けています。

言語知識（文字・語彙）

問題1

1 正答4
- 天然：nature／天然／천연
  - ▶ 天＝テン
    - 例 天気
  - ▶ 然＝ゼン／ネン
    - 例 自然

2 正答2
- 親しい：close, familiar／親密的／친하다
  - ▶ 親＝シン／したーしい、おや
    - 例 両親、親子

他の選択肢　1 険しい　3 詳しい　4 悔しい

3 正答1
- 岸：shore／河岸／물가의 벼랑, 언덕
  - ▶ 岸＝ガン／きし
    - 例 海岸、川岸

他の選択肢　2 陸　3 土地　4 谷

4 正答4
- 提出：submission／提出／제출
  - ▶ 提＝テイ
    - 例 提案(する)(proposal／建議／제안)、提供(する)(offer／提供／제공)
  - ▶ 出＝シュツ／だーす、でーる
    - 例 出場(する)、出発(する)、声を出す、元気を出す、大学を出る、結果が出る

5 正答2
- 比べる：to compare／比較／비교하다
  - ▶ 比＝ヒ／くらーべる
    - 例 どっちが重いか比べてみる。

他の選択肢　1 並べて　3 調べて　4 選べて

6 正答3
- 乗客：passenger／乗客／승객
  - ▶ 乗＝ジョウ／のーる、のーせる
    - 例 乗員(＝電車や飛行機などの中で仕事をする人)、乗り物
  - ▶ 客＝キャク
    - 例 観客(audience／观众／관객)、映画館の客席

7 正答4
- 都会：city, urban area／都市／도시
  - ▶ 都＝ト・ツ／みやこ
    - 例 都市(city／都市／도시)、都合(one's convenience／方便／형편)
  - ▶ 会＝カイ／あーう
    - 例 会議(meeting／会议／회의)、歓迎会(welcome party／欢迎会／환영회)、研究会(research group／研究会／연구회)、会員((club) member／会员／회원)、会費(membership fee／会费／회비)、会場(event site／会场／회장)

8 正答2
- 肌：skin／皮膚／피부
  - ▶ 肌＝はだ
    - 例 肌が荒れている。

解答・解説

他の選択肢 **1** 皮膚（skin／皮肤／피부） **3** 脳（brain／大脳／뇌） **4** 腰（waist, lower back／腰／허리）

問題2

9 正答 **3**

- □ 金額：amount of money／金額／금액
  - ▶ □ 金＝キン／かね
    - 例 貯金（する）、現金（＝実際のお金）、借金（する）、税金
  - ▶ □ 額＝ガク／ひたい
    - 例 半額セール、一度に全額払う

10 正答 **1**

- □ 捨てる：to throw away, to dump／扔掉／버리다
  - ▶ □ 捨＝シャ／す-てる
    - 例 古い新聞を捨てる

11 正答 **3**

- □ 検査（する）：examination, inspection／检査／검사
  - ▶ □ 検＝ケン
    - 例 検索（する）(to search／检索／검색)
  - ▶ □ 査＝サ
    - 例 調査（する）（＝実際はどうなのか、はっきりさせるために調べること）

12 正答 **2**

- □ 賢い：smart, bright／聪明／현명하다
  - ▶ □ 賢＝ケン／かしこーい
    - 例 賢い子ども、賢いやり方

13 正答 **4**

- □ 涙：tear／眼泪／눈물
  - ▶ □ 涙＝ルイ／なみだ
    - 例 涙を流す、涙が出る

14 正答 **1**

- □ 通過：乗り物などが通り過ぎること。
  - ▶ □ 通＝ツウ／とお-る
    - 例 交通、通信、通話、通学、通り、大通り
  - ▶ □ 過＝カ／す-ぎる
    - 例 日本に来て2か月が過ぎた。

問題3

15 正答 **1**

- □ 動き：動くこと。動く様子。
  - 例 今日は雲の動きが速い。

他の選択肢
- **2** 働き　例 胃の働き、社員の働き
- **3** 行き　例 行きの飛行機が遅れた。
- **4** 戻り　例 外出するときは、行き先と戻りの時間をここに書いてください。

16 正答 **3**

- □ アップ（する）：増えること。㊥ up
  - 例 先月より売り上げがアップした。

他の選択肢
- **1** トップ　㊥ top
  - 例 この分野のトップをめざす
- **2** チェック（する）　㊥ check
  - 例 資料をチェックする
- **4** カット（する）　㊥ cut
  - 例 予算をカットする

模擬試験 第1回 解答・解説

17 正答 1

□ (相談に)乗る：話を聞く。
例 友達の相談に乗る

他の選択肢
2 聞く　　例 相談を聞く
3 会う　　例 上司と会う
4 受ける　例 相談を受ける

18 正答 2

□ 発表(する)：announcement, presentation／发表／발표
例 A社が新製品を発表した。

他の選択肢
1 研究(する)　例 アジア文化を研究する
3 講義(する)　例 大学で講義する
4 表現(する)　例 気持ちを表現する

19 正答 4

□ いきなり：突然。
例 会議中、いきなり社長が立ち上がった。

他の選択肢
1 しばらく　例 しばらくお待ちください。
2 なるべく　例 なるべく早くお返事します。
3 とにかく　例 とにかくやってみよう。

20 正答 2

□ 激しい：intense, hard／激烈／심하다
例 元気になったけど、激しい運動はまだできない。

他の選択肢
1 つらい
　例 辛い別れ(painful separation／痛苦的离别／괴로운 이별)
3 するどい
　例 鋭いナイフ(sharp knife／锋利的刀子／날카로운 칼)
4 おそろしい
　例 恐ろしい体験(horrible experience／恐怖的体验／무서운 체험)

21 正答 3

□ しっかり(する)：being strong／being steady／坚强／견실함，똑똑함
例 まだ小学生なのに、この子はしっかりしている。

他の選択肢
1 すっかり
　例 5年の間に、街の様子がすっかり変わっていた。(The appearance of the city has completely changed in five years.／在这五年期间，街道完全变样了。／5년 동안에 거리의 모습이 완전히 변했다.)
2 うっかり
　例 電話するのをうっかり忘れた。(I carelessly forgot to call.／不小心忘记打电话了。／전화를 하는 것을 깜빡 잊었다.)
4 そっくり
　例 その男の子は、母親にそっくりだった。(The boy looks just like his mother.／那个男孩长得很像他母亲。／그 남자아이는 엄마와 똑같았다.)

22 正答 1

□ 剃る：shave／剃／깎다
例 頭を剃る

他の選択肢
2 取る
　例 めがねを取る(＝はずす)
3 刈る
　例 草を刈る(cut grass／mow grass／割草／풀을 깎다)
4 折る
　例 枝を折る(break off a branch／折断树枝／나뭇가지를 꺾다)、紙を2つに折る(fold a sheet of paper in two／将纸张叠成两半。／종이를 둘로 접다.)

解答・解説

23 正答 3

□ ～者：～する人、～の人。
例 参加者、欠席者、担当者、経営者、新聞記者、雑誌の読者、高齢者（≒老人）、科学者（scientist／科学家／과학자）

他の選択肢

1 家　例 画家（painter／画家／화가）、作家（writer／作家／작가）、芸術家（artist／艺术家／예술가）、政治家（politician／政治家／정치가）
2 人　例 案内人、役人（government official／官员／공무원）、職人（artisan／手艺人／장인）
4 員　例 社員、店員、駅員、事務員、会員、委員（committee／委员／위원）

24 正答 2

□ 仲間：company, fellow／伙伴／동료
例 一緒に働く仲間を募集している。

他の選択肢

1 年上　例 彼は2歳年上の女性と結婚した。
3 親友　例 彼は子どもの頃からの親友だ。
4 同僚　例 会社の同僚

25 正答 4

□ 平気（な）：calm / self-possessed / not be bothered ／不在乎的／태연한
例 彼女は平気で約束を破る。（She has no scruples about breaking her promises.／她满不在乎地毁约。／그녀는 태연하게 약속을 지키지 않는다.）

他の選択肢

1 人気
例 この歌手は人気がある。（This singer is popular.／这个歌手很受欢迎。／이 가수는 인기가 있다.）
2 勇気
例 勇気がなくて、意見が言えない。（I don't have the courage to tell my opinions.／没有勇气，不敢说意见。／용기가 없어서 의견을 말할 수 없다.）
3 本気
例 本気でダイエットをしている。（I'm on a diet seriously.／真正地减肥。／진지한 마음으로 다이어트를 하고 있다.）

問題 4

26 正答 4

□ 歴史：history／历史／역사
例 日本の歴史と文化

27 正答 2

□ たっぷり：plenty／充足的／잔뜩, 가득
例 弟はコーヒーに砂糖をたっぷり入れる。

28 正答 4

□ 不満：dissatisfaction／不满／불만
例 今の仕事に不満はない。

29 正答 2

□ 退屈（な／する）：boredom／无聊／지루함
例 退屈な映画

30 正答 3

□ 取り消す：cancel／retract／取消／지우다
例 大臣は発言を取り消した。

問題 5

31 正答 2

□ **入力**（する）：パソコンなどに情報を入れること。
例 パスワードを入力してください。

他の選択肢　1、3 力を入れる、4 入れる、などが適当。

32 正答 2

□ **付き合う**：ここでは「相手に合わせて一緒に行動する」という意味。
例 友達に付き合って、バーゲンに行った。

他の選択肢　1 会う、3 出席する、4 合う、などが適当。

33 正答 1

□ **スペース**：空いている場所、部分。
英 space
例 本棚には、もうほとんどスペースがない。

他の選択肢　2 ペース（pace／步伐、速度／속도）3・4 時間、などが適当。

34 正答 3

□ **まぶしい**：光が強くて見ることができない。
例 向こうから来る車のライトがまぶしくて、前が見えない。

他の選択肢　1 明るく、2 明るい、4 きれいに、などが適当。

35 正答 4

□ **雇う**：to hire, to employ／雇用／고용하다
例 これからもっと忙しくなるので、アルバイトを雇ったほうがいい。

他の選択肢　1 働ける、2 応募して、3 辞めさせられた、などが適当。

言語知識（文法）・読解

文法

問題1

1 正答2

□ ～うちに
例 聞いたら、忘れないうちに書いておいて。

他の選択肢
1 寝ているあいだに財布をとられた。
3 日曜日に限り2割引きです。
4 母の代わりに私が弟を病院に連れて行った。

2 正答1

□ ～たところ
例 本の通りに作ってみたところ、おいしかった。（＝作ってみたら）

他の選択肢
2 出来たてで、すごくおいしい。（＝出来たばかりで）
3 いくら安いといったって、こんなに古いギターは買いたくない。（＝どんなに安くても）
4 できたばかりの店に入った。（＝できてすぐの）

3 正答4

□ ～のに
例 予報では晴れると言っていたのに、降ってきた。（＝言っていたが、それに反して）

他の選択肢
1 頭が痛いから、今日は休む。
2 雪のために電車が遅れた。
3 男性にしては指が細い。（＝男性だけど、そのイメージと違って）

4 正答3

□ ～ため
例 試験に合格するため、毎日勉強している。（＝合格することを目的に）

他の選択肢
1 約束は守るべきだ。（＝守るのが当然だ）
2 約束したから、来るはずだ。（＝きっと来るだろう）
4 遅刻したのは雪のせいだ。（＝雪が原因だ）

5 正答2

□ ～っぱなし
例 昨日から電気がつけっぱなしだ。（＝つけたまま）

他の選択肢
1 玄関の電気はもうつけてある。
3 毎晩夜7時に玄関の電気をつけている。
4 父が帰ってくるまで電気をつけておく。

6 正答3

□ ～さえ
例 この問題さえできれば、宿題は終わる。（＝ほかはいいとして、この問題だけ）

他の選択肢
1 これこそ私が欲しかった車だ。（＝まさにこれが）
2 薬で熱を下げる。
4 熱だけでなく頭痛もする。

模擬試験 第1回 解答・解説

7 正答 2

□ ～はずがない
例 こんな難しい問題、できるはずがない。

他の選択肢
1 引き受けたんだから、やるしかない。（＝やるだけだ、それ以外にない）
3 一応賛成したが、すべてを認めたわけじゃない。（＝認めたということではない）
4 高いからと言って、おいしいとはかぎらない。（＝おいしいとは決まっていない）

8 正答 3

□ 召し上がってください
例 どうぞ、ゆっくり召し上がってください。

他の選択肢
1 早く食べなさい。遅刻するわよ。

9 正答 4

□ 休ませていただきます
例 お正月の3日間は店を休ませていただきます。

他の選択肢
1 先輩、これから用事があるので、練習を休んでもいいでしょうか。
2 息子は先週から熱が下がらないので、学校を休ませています。

10 正答 1

□ ～ばかり
例 毎日テストばかりでいやになる。（＝ほかはなく、テストまたテストで）

他の選択肢
2 彼ほど親切な人はいない。（＝彼と同じくらいに→彼が一番親切だ）
3 女性にかぎらず、最近は男性もダイエットをするそうだ。（＝女性だけでなく）
4 ダイエットの方法をめぐって意見が交わされている。（＝方法を問題・テーマに）

11 正答 4

□ ～ておいた
例 ここにかけておいた帽子がない。（＝かけた状態にしていた）

他の選択肢
1 お弁当をカバンに入れて、出かける。
2 お弁当を持ってくる学生は少ない。
3 お弁当はいつもカバンに入れている。

12 正答 4

□ ～ように言われた
例 身分証を持ってくるように言われた。

他の選択肢
1 このトイレは自動的にふたが開くようになっている。（＝という作り・決まりだ）
2 食器洗い機は便利なように感じるが、そうでもない。
3 食事の前には手を洗うようにと言われた。

13 正答 1

□ ～てほしいね
例 読みやすい字で書いてほしいね。

他の選択肢
2 これからは大きく書くことにするね。（＝書くことに決めた）
3 何回言ってもきれいに書いてくれないね。
4 こんなところにメモを書くわけにはいかないね。（＝書くことは許されない）

問題2

14 正答2

₃公園の ₁桜は ₂3月末から ₄4月上旬 にかけてきれいに咲きます。

⇒【〈公園〉の〈桜は〉】〈三月末から四月上旬にかけて〉〈きれいに〉咲きます。

15 正答2

₄料理の ₃本に ₂書いてある ₁とおりに 作ったが、うまくできなかった。

⇒【[〈料理〉の〈本〉]に [書いてある]とおりに作ったが、うまくできなかった。

16 正答1

₄虫の音 ₂に加えて ₁川の流れる ₃音も聞こえて、とても心が落ち着く。

⇒【[〈虫の音〉に加えて] [〈川の流れる音〉も聞こえて]]、とても心が落ち着く。

17 正答1

近所づきあいが、₄生活する ₃うえで ₁どんなに ₂大切なものか、よくわかった。

⇒【[近所づきあい]が、[〈生活する うえ〉で]どんなに大切なものか]、よくわかった。

18 正答2

この問題 ₃は ₄考えれば ₂考える ₁ほど 分からなくなる。

⇒[〈この問題〉は]〈考えれば 考える ほど〉分からなくなる。

問題3

19 正答4

店員は、書き手である「私」から離れて、また「私」のところへ来たのであるから、「私」の方への移動を表す「～てくる」の表現が必要となる。

他の選択肢
1 例 来週の火曜日に出張から戻る予定だ。
2 例 急いで会社に戻ろうとしたが、電車がなかなか来なかった。
3 例 1時から会議だから、急いで会社に戻ろう。

20 正答4

「私」が考えていたこととは違う行動を店員がとったので、状況の変化を表す語が入る。

他の選択肢
1 例 私の父の父、つまり祖父は106歳です。
2 例 祖父は106歳、そして祖母は102歳です。
3 例 はじめに乾杯をして、それから私が挨拶をします。

21 正答1

「初めてだった応対」がどのようであったかについては、この文章の前に書かれている。→すぐ前の文章を指し示す語が入る。

他の選択肢
2 例 女性に対して、あのような応対は許されない。
3 例 A「どうしたの？ 何かあったの？」
　　 B「さっき、あの店の応対がひどかったんだよ」
4 例 電話した時、この店の応対はあまりよくなかった。

模擬試験 第1回 解答・解説

22 正答 4

店（A）は、客（B）が満足するように行動する。そのため、「AがBに〜させる」の使役形になり、さらに、Aの意志を表す表現が入る。

他の選択肢
1. 例 息子は十分がんばったから、この成績で満足しよう。
2. 例 この成績なら、親を満足させられる。
3. 例 この結果に私は満足している。

23 正答 2

「〜今では普通になってしまって」「特別のサービスとは〜」と、サービスに対する気持ちの変化を述べているので、変化を表す表現が入る。

他の選択肢
1. 例 日によって、痛みを感じたり感じなかったりする。（＝感じる時と感じない時がある）
3. 例 日本を感じさせられる部屋だった。（＝自然と感じる）
4. 例 一回使ってみれば、ほしいと感じるに違いない。（＝きっと感じるだろう）

読解

問題4（短文）

(1)「会議のお知らせ」

24　正答2

「4月6日までに」「会議に参加できる日（＝都合の良い日）をあわせてお知らせください」と書いてある。「あわせて」は「出席できるかどうかの返事と一緒に」ということ。

他の選択肢
1→第1回目の会議が4月20日の会議である。
3、4→「市民会館へ行く」「アイデアをメールで送る」とは言っていない。

ことばと表現
- 参加（する）：participation／参与／참가
- 内容：content／内容／내용
- アイデア：idea／主意、想法／아이디어
- 都合：convenience／时机／형편

(2)「古本集めのお知らせ」

25　正答4

対象とする本（＝集めている本）の種類と、「ご協力くださる方は〜」の一文に注目する。「古本をお持ちになり（＝持って）、ボランティアセンターへお越しください（＝来てください）」とある。

他の選択肢
1→「お金を届けること」はお願いしていない。
2→「教科書」「古本バザーの会場へ」が×。
3→「持ってきてほしい」とお願いしている。

ことばと表現
- 自宅：自分の家。
- 販売（する）：売ること。
- 売り上げ：sales／销售额／매상
- 寄付（する）：donation／寄赠／기부
- 協力（する）：ある目的のために力を合わせること。
- かまわない：問題ない。
- 対象：object, target／对象／대상
- 書籍：本。
- △ カタログ：catalog／目录／카탈로그
- △ フリーペーパー：無料で配られる新聞や雑誌。

(3)「お菓子の注文」

26　正答3

本文は「急いでラッピングしたい贈り物があったので花屋さんにお願いしてみたら、やってくれた」という内容。

他の選択肢
1、4→「無料」「インターネットで注文できたこと」が「助かった」のではない。
2→「新しい品物が届いた」とは書いていない。

ことばと表現
- 贈り物：プレゼント。
- ラッピング：贈り物などをきれいに包むこと。
- 駆け込む：建物や乗り物などに急いで入る。
- 事情：circumstance／原因／사정
- △ お代：代金（商品やサービスの値段）。
- 笑顔：笑った顔。
- 感激（する）：うれしい出来事やすばらしいものなどに触れて、深く心を動かされること。
- 助かる：（費用や苦労が少なくて）楽だ。

(4)「共感覚」

27　正答3

「赤ちゃんのころは誰でも共感覚を持っている」「成長すると失われていく（＝大人になるとなくなる）」がポイント。

模擬試験 第1回 解答・解説

「それを知る」の「それ」は、(彼らが)「自分に必要なもので、失いたくない」と感じること。

他の選択肢
1 →「一部の大人には残ってしまう」とあるので、「すべての人」と合わない。
2 →「自分には必要なもの」とあり、「嫌だ」と合わない。
4 →「人によって違い」とある。

ことばと表現
- □ 同時：同じとき。
- □ 一部：a part, some ／一部分／일부

問題5（中文）

(1)「旬の食材」

[28] 正答 1

「一年中スーパーで売られ」→季節の違いがなくなり、旬の時期がわかりにくくなっている、と読みとる。

[29] 正答 3

次の文に注目。長所について、「まず」「また」「さらに」と3点書いてある。また、「温度管理は環境に負担になる」と書いてある。

他の選択肢
1 →「さらに」の後に注目。旬に関係なく育てるハウス栽培では、エネルギーを大量消費する。
2 →「また」の後に注目する。
4 →「まず…」「また…」の内容から「体にいいこと」、「さらに…」の内容から「環境にいいこと」がわかる。

[30] 正答 2

最後の段落に注目。「旬を考えて食材を選ぶこ

と」をすすめている。そのために前の段落で「旬のものを食べる良さ」を説明している。

他の選択肢
1 →時期を覚えることがポイントではない。
3 →日本の食文化かどうかがポイントではない。
4 →「味わって食べるべき」とは言っていない。

ことばと表現
- □ 四季：春・夏・秋・冬の四つの季節。
- □ ～ごとに：every ／毎～／～ 마다
- □ 代表的(な)：typical ／代表性的／대표적인
- □ 消費者：商品やサービスを買って使う人。
- □ 時期：ある物事をする時や期間。
- □ 収穫(する)：harvest ／收获／수확
- □ 蓄える：あとで役立つようにためておく。
- □ 当然：of course ／当然／당연
- □ 栄養：nutrition ／营养／영양
- □ 豊富(な)：豊かであること。
- □ 補う：足りないところを足すこと。
- □ 管理(する)：control, management ／管理／관리
- □ 負担(する)：burden, to share ／负担／부담
  ここでは「マイナスの影響を与えるもの、害になるもの」などの意味。

(2)「部活の思い出」

[31] 正答 4

すぐ後ろの「～からだ」に注目。「少しずつ自分が成長している実感があり」と書いてある。

他の選択肢
1、2 →「辞めたいと言えなかった」「辞めることが許されなかった」とは書かれていない。
3 →すでにゴールの喜びを感じたことがある。

[32] 正答 4

第3段落に注目。「試合のメンバーから私を外さず」→「機会を与え続けた」と読み取る。

解答・解説

33 正答 2

第4段落に注目。「努力をする大切さや人を思いやる大切さを学んだ」と書いてある。それは、この人がいつも忘れないようにしていること。

他の選択肢

1、4 →"スポーツ"や"教師という仕事"についてどう考えているか」は書かれていない。

3 →「人を思いやる大切さ」を述べているが、「友達との付き合い方」は述べていない。

ことばと表現

- ～部：「部」は活動団体を表す。例野球部、テニス部
- コーチ：〈主にスポーツ〉技術などを教える人。
- グラウンド：運動場。
- 叱る：良くない態度や行動に対して強く怒る。
- 決して～ない：絶対に～ない。
- 耐える：辛いことや苦しいことをがまんする。
- 実感：実際に感じること。
- 常に：いつも。

問題6（長文）

「配食サービス」

34 正答 4

約25％が高齢者の一人暮らし、約30％が高齢者の夫婦のみ。合わせて約55％（＝半数以上）が子どもや孫と住んでいない。

他の選択肢

1 →「3分の1」ではなく「4分の1」。
2 →「世界で一番高くなった」とは書いていない。
3 →「一人暮らしの人に占める高齢者の割合」は書かれていない。

35 正答 2

すぐ前に注目する。「定期的に（食事を届ける）人が来てくれるので、急に倒れても早く（その人が来た時に）対応してもらえる」がヒント。

他の選択肢

1、3 →「突然病気になっても大丈夫だ、という安心感」とは違う。
4 →「医者が来てくれる」とは言っていない。

36 正答 2

第3段落に「高齢者ばかりでなく、若い人の利用も増えている」と書いてある。

他の選択肢

1 →「どこで始まったか」は書いていない。
3 →配食の内容が「選びやすく」なったが、「専門家が決めてくれる」とは書いていない。
4 →「病気が減った」などとは特に述べていない。

37 正答 4

健康を保つ、社会的孤立を防ぐ、自分に合った食事が選びやすくなっている、といった配食サービスの良さが主に書かれている。

他の選択肢

1 →課題については書かれていない。
2、3 →最後の段落に少し書かれているが、この文章の中で主に書かれていることではない。

ことばと表現

- 人口：人の数、特に一つの国に住む人の数。
- 過去最高：今までで一番多い。
- 夫婦：夫と妻。
- 状況：situation／状況／상황
- 定期的（な）：物事が、同じ期間を置いてくり返し行われること。
- 主な：中心になる、重要な。
- 維持（する）：同じ状態が続くようにすること。

模擬試験 第1回 解答・解説

- □ 直後：すぐあと。
- □ 防ぐ：（事故や病気など）良くないことが起きないようにする。
- □ 効果：effect／效果／효과
- □ 対応(する)：correspondence, support／对应／대응
- □ 割合：ratio, percentage／比例／비율
- □ 占める：to occupy／占有／점하다
- □ 年代：同じような年齢であること。「同年代」は「年が自分と大体同じ」という意味。「さまざまな年代の人たち」は「さまざまな年齢の人たち」とほぼ同じ意味。

ことばと表現

- □ 平日：「土曜・日曜・祝日」ではない日。
- □ 用意(する)：必要な物をそろえること。
- □ 会費：会のために払うお金。
- □ 伝統的(な)：traditional／传统的／전통적인
- □ 申し込み：application／申请／신청
- □ 支払い：お金を払うこと。
- △ 払込用紙：代金の支払いのために使う紙。
- △ 筆記用具：ペンなど、字を書くための道具。
- □ 上記：上に（前に）書いてあること。

問題 7（情報検索）

「料理教室の案内」

[38] 正答 2

「コースの説明」と「曜日・時間」に注目。初めてでも日本料理が習え、土日に通えるのが②。

他の選択肢
1 → 曜日が合わない。
3 → 初めての人は受けることができない。
4 → 「和菓子」は日本のお菓子。「和食」という場合は普通、「日本料理や日本風の食事」を指す。

[39] 正答 4

「持ちもの」に注目。「初回のみ（＝1回目だけ）、テキスト代（1,000円）をお持ちください（＝持ってきてください）」と書いてある。

他の選択肢
1 → 会費は初回の1週間前までに払う。
2 → 「箸はこちらでもご用意しています（＝料理教室でも用意している）」と書いてある。
3 → これが必要なのは「④和菓子」のコース。

聴　解

問題1（課題理解）

れい　正答1　03 CD1

会社で、女の人と男の人が話しています。女の人は、このあと、まず何をしなければなりませんか。

F：ABC広告の川島部長が、そろそろいらっしゃる時間ですね。
M：うん。資料のコピーはしてくれた？
F：はい、こちらです。6部で足りますか。
M：そうだね、ありがとう。いらしたら、2階の会議室に案内してくれる？ぼくはもう一つ資料を持って行くから、その間にお茶を出しておいて。
F：わかりました。あ、エアコンもつけておきますね。
M：ああ、それはさっき田中さんがやってくれたみたい。じゃ、よろしくね。
F：はい。

女の人は、このあと、まず何をしなければなりませんか。

1ばん　正答3　04 CD1

コンビニで、男の人が女の人に電話しています。男の人はどのパンを買いますか。

M：もしもし。お昼、買っていくよ。今コンビニいるんだけど、何がいい？　おにぎりとか？
F：うーん、パンのほうがいいかな。
M：わかった。どういうのがいい？
F：甘いの1つと甘くないの1つ。
M：甘くないのって、サンドイッチとか？
F：えーっと、サンドイッチよりはソーセージが入ってるのがいいな。あと、甘いのは、小さいのが何個か入ってるやつがいい。
M：何個か？　今あるのはドーナツだけど、いい？
F：それしかなかったらいいよ、それで。ああ、あと、飲み物もお願い。コーヒーじゃなくて、紅茶ね。ミルクティーとか。
M：了解。じゃ、買ってくね。

男の人はどのパンを買いますか。

2ばん　正答3　05 CD1

会社で、男の人と女の人が話しています。女の人はこのあと、何をしなければなりませんか。

F：あのう、山田さん。部長、どこに行かれたかご存知ですか。
M：部長？　あさひ工業との打ち合わせに出かけてるよ。
F：そうなんですか…。困ったなあ。ふじ広告から至急確認してほしいって、メールでデザイン案が送られてきたんですよ。部長に見ていただきたかったんですが…。
M：うーん、今日はそのまま帰るって言ってたからなあ。
F：携帯に電話してみましょうか。
M：でも、結局、デザインは見られないからねえ。明日の朝まで待ってほしいって、言ってみて。
F：そうですね。わかりました。

女の人はこのあと、何をしなければなりませんか。

「明日の朝まで待ってほしいって、言ってみて」の、言う相手は取引先。よって答えは3。

ことばと表現

□ 打ち合わせ：物事がうまくいくように、準備などについて話し合うこと。
△ 至急：すぐに。
□ 案：idea, plan／意見、主意／안
□ 結局：いろいろあったあと、最後は。
□ 取引先：business partner, client／客户／거래처

模擬試験 第1回 解答・解説

3ばん　正答4

大学で、女の学生と男の学生が話しています。男の学生はこのあと、何をしなければなりませんか。

F：たけし君、今日の卒業生の送別会だけど。
M：ああ、6時だよね。遅れないように行くよ。
F：それはもちろんだけど、会費は？　昨日までだったんだけど。
M：えっ、そうなの？　その場で払えばいいんじゃないの？
F：余計な時間がかかるから早めに集めるって言ったじゃない。
M：今、財布にお金ないんだよ。行く前にATMでおろそうと思ってたから。
F：しかたないなあ。じゃあ、私が出しておくから、あとでちょうだい。でも、卒業生へのメッセージは早めに書いといてよ。今日カード渡すんだから。
M：ああ、それもまだだ。わかった。
F：じゃ、私はこれから花を買いに行って、そのままお店に行くね。
M：わかった。

男の学生はこのあと、何をしなければなりませんか。

「メッセージは早めに書いといて」とあるので、答えは4。

ことばと表現

□ 送別会：仕事をやめる人や卒業生のために開く食事会。
□ 会費：会に参加するときに払うお金。
□ 余計（な）：extra, unnecessary／多余的／쓸데없는

4ばん　正答2

会社で、女の人と男の人が話しています。二人は明日、何時に会いますか。

F：明日の研修会、1時からでしょ。何分くらい前に行く？
M：5分前かなあ。駅に45分に着く感じ。
F：そっか。私はもうちょっと早めに行く。行ったことない場所だし、迷うかもしれないから。
M：ああ、初めてなんだ。そしたら、会場の近くでお昼、一緒に食べない？　ぼくは一回行ったことがあるから場所はわかるよ。
F：あ、それだと助かる。
M：じゃあ、ぼくは明日、午前中、外で用事があるから、駅で待ち合わせでいいかなあ。改札は1つだから、そこで。12時でいい？
F：もうちょっと早くしようよ。お昼で混む時間だから。もう15分前は？
M：わかった。

二人は明日、何時に会いますか。

「12時でいい」→「もう15分前」とあるので、答えは2。

ことばと表現

□ もう～：さらに～。それより～。

5ばん　正答1

土産物屋で、女の人と男の人が話しています。女の人は何を買いますか。

F：困ったなあ。まだ決まらないよ。家族に買うお土産。
M：ぼくはもう買ったよ、クッキー。結構有名なんだって。
F：そうなんだ。でも、前もクッキーだったからなあ。
M：いいんじゃない、物がよければ。…あ、このお酒、おいしそう。自分用に1個買おう。
F：いいな、私もなんかほしい。…あ、これにしよう、手作りジャム。
M：ああ、おいしそうじゃない。家族にも、それにしたら？
F：うーん、あんまり食べてるの見たことがないなあ、特に父親。あ、チーズがいいかも。種類もいっぱいある！
M：ねえねえ、もうみんな集まってるよ。行った

ほうがいいみたい。
F：え、うそ、どうしよう。困ったなあ。いいや、もう。私も同じのにする。
M：いいと思うよ。じゃ、急いで。

女の人は何を買いますか。

男の人が「買ったよ、クッキー」と言っていて、女の人が最後に「私も同じのにする」と言っている。

ことばと表現

□ 結構：pretty, quite ／很、非常／상당히

6ばん　正答3　09 CD1

女の人と男の人が話しています。男の人は最初に、何をしなければなりませんか。

F：なんとか今回のセミナーも無事に終わったね。5日間お疲れさまでした。さ、片づけちゃいましょう。
M：はい。じゃあ、ぼくは机を。
F：うん、お願い。…あ、ちょっと待って。やっぱり最初に部屋の外からやりましょう。外のポスターをはがしてきてくれない？ 7、8枚あったと思う。私はこの辺片づけてるよ。
M：わかりました。何か飲み物を買ってきましょうか。
F：そうねえ。じゃあ、冷たいお茶を。
M：はい。…あ、課長、あれ、ゴミですよね。捨ててきましょうか。
F：ゴミはいいよ。あとでまとめて捨てるから。
M：わかりました。じゃあ、ちょっと行ってきます。

男の人は最初に何をしなければなりませんか。

「やっぱり最初に」「外のポスターをはがしてきてくれない？」とあるので、答えは3。

ことばと表現

□ セミナー：あるテーマの勉強のため、集中的に指導や説明をする会。
□ 無事に：問題なく。
□ まとめる：一緒にする、ひとつにする

問題2（ポイント理解）

れい　正答1　11 CD1

女の学生と男の学生が電話で話しています。男の学生は、どうして家を出るのが遅くなりましたか。

F：ちょっと早めに着いたから、先に店に行ってるね。田中君は今どこ？
M：今家を出たところ。30分くらい待って。
F：えー、遅いよ。お昼食べる時間、なくなっちゃうじゃない。
M：ごめん、実は朝から体がだるくて…。ちょっと熱があるみたいで…。
F：そうなの？　じゃあ、今日のセミナーはやめといたら？
M：…大丈夫だよ。
F：同じようなのを定期的にやってるから、また行けばいいよ。それより家で寝てたほうがいいって。
M：うーん…わかった。

男の学生は、どうして家を出るのが遅くなりましたか。

ことばと表現

□ セミナー：あるテーマの勉強のため、集中的に指導や説明をする会。
□ 定期的：物事が、同じ期間を置いてくり返し行われること。

1ばん　正答1　12 CD1

会社で、女の人と男の人が話しています。男の人は、今日、どんな失敗をしたと言っていますか。

F：原さん、どうしたの？　なんだか元気なさそうだけど。
M：うん…ちょっとミスしちゃって。今朝A社に渡したデザインサンプル、古いやつだったんだ。むこうはそれについて社内で話し合って、さっき返事をしてきて…。
F：ああ、そうなんだ。
M：また部長に怒られたよ。この間は、注文の数

模擬試験 第1回 解答・解説

を間違えたし…。だめだなあ、ほんと。
F：誰にでも失敗はあるよ。私も最近、会議の時間を間違えて伝えたりしたし。部長だって、スピーチで人の名前、間違えたりしたからね。
M：うん…。ありがとう。また頑張るよ。

男の人は、今日どんな失敗をしたと言っていますか。

ことばと表現
- □ サンプル：見本。

2ばん　正答4　13 CD1

男の人と女の人が話しています。上級日本語コースの授業は、どの部屋で行われますか。

M：すみません、今日、こちらのセンターで特別日本語講座を受けるんですが、上級クラスはどの部屋ですか。チラシに書いてある302に行ったんですが、誰もいなくて。301には人がいたんですが。
F：あっ、すみません。隣の別館5階の502になります。
M：えっ、別館!? でも、案内には本館の3階って…。
F：ええ。そうなんですけど…。実は、エアコンが故障してしまって、さっき変更になったんです。まだ案内を貼ってなくて…すみません。エレベーターを降りてすぐの部屋が501なんですが、502はその右隣の部屋になります。
M：わかりました。どうも。

上級日本語コースの授業は、どの部屋で行われますか。

ことばと表現
- □ 講座：course／讲座／강좌
- □ 別館：本館とは別に建てた建物。
- □ 本館：第一の建物。
- □ 故障(する)：壊れる。
- □ 変更(する)：(やり方などを)変える。

3ばん　正答3　14 CD1

会社で、女の人と男の人が話しています。女の人は、どうして去年と違う店にすると言っていますか。

F：忘年会の店、どこがいいかなあ。
M：そうだねえ。去年と同じさくら屋でもいいんじゃない？ あそこ、安かったし、お酒のメニューも結構あったし。
F：うーん、確かにお酒はいろいろあったし、部屋も広かったけど、料理はそんなにおいしくなかった気がする。それに、お酒、飲めない人もいるし。
M：まあ、そうだね。
F：「味一」はどう？ 行ったことあるけど、どれもおいしかったよ。雰囲気もなかなかよかったし。
M：へえ、じゃ、そこにしようよ。

女の人は、どうして去年と違う店にすると言っていますか。

ことばと表現
- □ 忘年会：会社などで、年末にする飲み会。
- □ 雰囲気：atmosphere／气氛／분위기

4ばん　正答2　15 CD1

学校で、女の学生と男の学生が話しています。女の学生は、どうして国際センターの中国語講座を選んだと言っていますか。

F：私ね、今、中国語を勉強してるんだ。
M：へー、そうなんだ。
F：バイト先によく来るお客さんに中国の人がいてさ。日本語も話せるんだけど、その人と中国語で話してみたいなあと思って。
M：実際に使うのが、うまくなる一番の方法だって言うしね。
F：そうそう。で、市の文化会館と国際センターの中国語講座を見学に行ったの。そしたら、国際センターの先生が、そのお客さんの奥さんだったのよ。もう、びっくり！
M：へえ、すごい！

F：それで、そこに通うことにしたの。文化会館の方が近いし、料金もちょっと安かったんだけどね。
M：そっかあ。頑張ってね。

女の学生は、どうして国際センターの中国語講座を選んだと言っていますか。

ことばと表現
- 講座：course／讲座／강좌
- 実際に：actually／实际上／실제로

5ばん　正答1　[16 CD1]

天気予報を聞いています。明日の午後の天気はどうなると言っていますか。

F：今日は午前中は晴れますが、午後から雲が多くなり、夜には雨が降り出すでしょう。山の方では雪に変わります。朝方まで雪が少し残るかもしれませんので、車の運転には十分ご注意ください。あすは昼すぎから太陽が顔を出し、気温も上がってくるでしょう。

明日の午後の天気はどうなると言っていますか。

「明日は昼すぎから太陽が顔を出し」→晴れる。

ことばと表現
- △ 朝方：（夜など、ほかの時間に対して）朝。朝早く。
- 顔を出す：出てくる、現れる。

6ばん　正答4　[17 CD1]

男の人と女の人が話しています。女の人は、部屋を選ぶとき、特に何が大切だと思っていますか。

M：何見てるの？
F：そろそろ引っ越そうと思って。不動産屋でチラシをもらってきたの。
M：そうなんだ。何をポイントに選んでるの？
F：うーん、何かなあ…。部屋が広いこととか、家賃が安いこととか…。
M：まあ、そうだよね。あと、やっぱり南向きが

いいんじゃない？明るいほうがいいでしょ。
F：そうね。でも、一日いるわけじゃないから、東向きとか西向きとかでもいいかな。…あっ、あと、帰りがいつも遅いから、駅から近くないとだめだ。
M：ああ、それが一番大事なんじゃない？毎日のことだし。
F：うん、そう思う。

女の人は、部屋を選ぶとき、特に何が大切だと思っていますか。

ことばと表現
- ポイント：point／要点／포인트

問題3（概要理解）

れい　正答2　[20 CD1]

留守番電話のメッセージを聞いています。

F：田中です。先日は森さんのお祝いの会に誘っていただき、ありがとうございました。私もぜひ参加したいと思っていたのですが、昨日から娘が熱を出してしまいました。夫も明日は仕事ですし、今回はちょっと行けそうにありません。皆さんとも久しぶりで、お会いできるのを楽しみにしていたので、とても残念です。森さんには、また私からも電話します。本当にすみません。

田中さんが一番言いたいことは何ですか。
1 娘が熱を出している
2 お祝いの会には参加できない
3 みんなに会うのが楽しみだ
4 森さんに電話しておく

1ばん　正答3　[21 CD1]

会社で、女の人と男の人が話しています。

F：田中さん、お昼まだ？

模擬試験 第1回 解答・解説

M：あ、はい…この資料までやっておこうと思ってて。
F：そっか…。じゃあ、また後にするよ。
M：えっ、何ですか。いいですよ、今で。
F：そう？　…実はね、あさってのセミナー、うちの会社からは私が行くことになってるんだけど、ちょっと都合が悪くなっちゃって…。
M：代わりに行けばいいんですか。
F：ごめん、よかったらお願いできないかなあ。父が急に入院することになっちゃって、あさって私が手続きに行かないといけない状況なの。
M：そうでしたか。もちろん、いいですよ。

女の人は男の人に何を頼みましたか。
1 一緒に昼食を食べること
2 セミナーの日にちを変えてもらうこと
3 代わりにセミナーに行くこと
4 入院の手続きをすること

ことばと表現
- **セミナー**：あるテーマの勉強のため、集中的に指導や説明をする会。
- **手続き**：procedure／手续／수속
- **状況**：situation／状况／상황

2ばん　正答1

留守番電話のメッセージを聞いています。

F：こんにちは、中村様のお電話でしょうか。さくら町図書館です。中村様が予約された『かんたん　季節の料理』ですが、本日返却され、貸出が可能となりました。次の予約も入っていますので、よろしければお早めにお越しください。なお、1週間いらっしゃらなかった場合、予約は取り消しとなります。よろしくお願いいたします。

女の人が一番言いたいことは何ですか。
1 本を借りることができること
2 早く本を返してほしいこと
3 次の人が予約していること
4 予約が取り消されたこと

「貸出可能となりました（＝借りることができるようになりました）」が一番言いたいこと。

ことばと表現
- **返却（する）**：返す
- **貸出**：貸すこと
- **可能**：できる
- **取り消し**：なくなる、やめる

3ばん　正答3

女の人と男の人が話しています。

F：健康のために何か運動をしたいと思ってるんですが、田中さんって何かやってます？
M：うん。週に2、3日走ってるよ。
F：そうなんですか。実は私も走ろうかなと思ってて…。あのう、靴とか服はどういうものがいいんですか。
M：そうだね、特に靴は大事だね。いい靴じゃないと、走りづらかったり足が痛くなったりするから。ちゃんと専用のものを買ったほうがいいと思う。服は走りやすい、動きやすい形のもので、暑すぎたり寒すぎたりしないようにすることだね。あと、日差しが強いときは、帽子とかサングラスとか使ったほうがいいよ。
F：なるほど、わかりました。

二人は主に何について話していますか。
1 走る楽しさ
2 健康の大切さ
3 ジョギングに必要なもの
4 運動をするときに注意すること

ことばと表現
- **専用**：exclusive use／专用／전용
- **日差し**：太陽の光。
- **サングラス**：sunglasses／墨镜／선글라스

解答・解説

問題4（発話表現）

れい　正答1　[25 CD1]

道がわからないので、人に聞きます。何と言いますか。

F：1　東京駅に行きたいんですが。
　　2　東京駅に行ってくれませんか。
　　3　東京駅に行ってもいいですか。

1番　正答2　[26 CD1]

仕事が終わりました。一緒に作業をした人に何と言いますか。

F：1　お大事に。
　　2　お疲れさまでした。
　　3　お気をつけて。

1→病気の人や怪我をした人に言う言葉。
2→仕事が終わったときに使う言葉。
3→旅行に行く人などに言う言葉。

ことばと表現
□ 作業：work, task／工作、任務／작업

2番　正答1　[27 CD1]

友達が、たくさん荷物を持っています。手伝いたいです。何と言いますか。

M：1　荷物、持とうか。
　　2　荷物、持ってもらえない？
　　3　荷物、持たないと。

1→「〜ようか」は、相手に手伝いを申し出るときに使う言葉。
2→「〜てもらえない？」は、相手に頼むときに使う。
3→「持たないといけない」を短くした形。

3番　正答3　[28 CD1]

アルバイトをやめます。最後の日、みんなに何と言いますか。

F：1　おかまいなく。
　　2　よくいらっしゃいました。
　　3　お世話になりました。

1→人の家に行ったときなどに、「何もしてくれなくていいですよ」と相手に伝える言葉。

4番　正答3　[29 CD1]

美術館の中で写真を撮ってはいけないと、友達に注意します。何と言いますか。

M：1　写真を撮っちゃったんだよ。
　　2　写真を撮らなくちゃいけないよ。
　　3　写真を撮っちゃいけないよ。

1→「撮ってしまった」の話し言葉。
2→「撮らなければいけない」の話し言葉。
3→「撮ってはいけない」の話し言葉。

問題5（即時応答）

れい　正答2　[31 CD1]

F：あのう、道がよくわからないので、一緒に行ってほしいんですが。
M：1　そうですね、どうぞ。
　　2　ええ、いいですよ。
　　3　はい、そうしてください。

「行ってほしい」という相手の頼みに対する返事。

1ばん　正答2　[32 CD1]

M：ごめん、先に行って、みんなに説明しといてもらえる？
F：1　じゃ、話してもらおう。
　　2　うん、やっておくね。
　　3　あっ、先だったんだ。

「説明しておいて」に対する答え。

模擬試験 第1回 解答・解説

2ばん　正答1　[33 CD1]

M：明日のカラオケ、佐藤さんも誘ってみたらどうですか。

F：1　そうですね。聞いてみます。
　　2　いいえ、誘うつもりです。
　　3　うーん、どうして誘わないんでしょうね。

3→誘わない理由を聞かれたときの答え方の一例。

3ばん　正答3　[34 CD1]

F：このデジカメ、フラッシュが光らないようにできる？

M：1　もっと光ったらいいのにね。
　　2　どうして光らないんだろう。
　　3　このボタンを押すといいよ。

女の人は、フラッシュを光らないようにしたい。それに対する答えなので、答えは3。

ことばと表現

□ フラッシュ：flash ／闪光灯／플래시

4ばん　正答1　[35 CD1]

F：お父さんから、早く来てくれって電話があったよ。

M：1　わかった、すぐ行くよ。
　　2　そっか、早く来てほしいねえ。
　　3　じゃあ、もう帰ってくるかなあ。

5ばん　正答3　[36 CD1]

M：そろそろバスの時間だから、店を出ようか。

F：1　時間まで、あとどのくらいだろうね。
　　2　いや、早く出たほうがいいよ。
　　3　そう？　まだ大丈夫じゃない？

ことばと表現

□ そろそろ：by now ／快要、就要／슬슬

6ばん　正答3　[37 CD1]

F：今度の企画、ぜひ私にやらせてください。

M：1　うん、やらせてほしいね。
　　2　そうか、悪かったな。
　　3　じゃあ、よろしく頼むよ。

「私にさせてください」なので、「私がしたい」ということ。よって答えは3。

ことばと表現

□ 企画：planning ／规划、计划／기획

7ばん　正答1　[38 CD1]

F：このままだと、9時に間に合いそうもないですね。

M：1　そんなことはないと思うよ。
　　2　早く終わってよかったね。
　　3　ずいぶん早かったんだね。

「間に合いそうもない」は「時間に間に合わないと思う」ということ。

8ばん　正答2　[39 CD1]

M：風邪がひどくなったので、今日は早めに帰っていいですか。

F：1　そうですか。それはひどいですね。
　　2　わかりました、お大事に。
　　3　そんなに無理しなくていいですよ。

9ばん　正答2　[40 CD1]

F：これ、どうぞ食べてください。

M：1　いえ、どういたしまして。
　　2　いいんですか。じゃ、遠慮なく。
　　3　はい。では、失礼します。

1→「相手にお礼を言われたとき」に返す言葉。
3→「相手に『どうぞ』と言われて、部屋の中に入るときや先に帰るとき」などに言う言葉。

模擬試験 第2回 解答・解説

正答一覧

言語知識（文字・語彙）

問題1		問題4	
1	4	26	4
2	1	27	3
3	3	28	1
4	2	29	2
5	4	30	1
6	1	問題5	
7	3	31	3
8	2	32	4
問題2		33	2
9	4	34	3
10	3	35	1
11	4		
12	2		
13	1		
14	2		
問題3			
15	2		
16	1		
17	1		
18	2		
19	4		
20	3		
21	1		
22	2		
23	1		
24	4		
25	4		

言語知識（文法）・読解

問題1		問題4	
1	3	24	2
2	3	25	2
3	1	26	2
4	1	27	4
5	4	問題5	
6	4	28	2
7	3	29	3
8	4	30	3
9	2	31	3
10	2	32	4
11	3	33	1
12	3	問題6	
13	1	34	4
問題2		35	1
14	4	36	2
15	4	37	2
16	2	問題7	
17	1	38	2
18	2	39	1
問題3			
19	4		
20	1		
21	3		
22	2		
23	1		

聴解

問題1		問題4	
れい	1	れい	1
1	1	1	1
2	4	2	2
3	3	3	1
4	3	4	3
5	2	問題5	
6	4	れい	2
問題2		1	1
れい	1	2	3
1	2	3	1
2	3	4	1
3	3	5	2
4	3	6	1
5	4	7	3
6	3	8	2
問題3		9	2
れい	2		
1	3		
2	4		
3	2		

※ 解説では「言葉と表現」でN3レベルの語を取り上げ、チェックボックス（□）を付けています。説明のために取り上げた一部の難しい語には△を付けています。

言語知識（文字・語彙）

問題1

1 正答4

□ 予防（する）：prevention ／预防／예방
▶ □ 予＝ヨ／あらかじーめ
　例 来週の予定、天気予報、結果を予想する、未来を予測する（to predict the future ／预测未来／미래를 예측하다）
▶ □ 防＝ボウ／ふせーぐ
　例 事故を防止する（＝防ぐ）、消防車（fire truck ／消防车／소방차）

2 正答1

□ 満足（する）：satisfaction ／满足／만족
▶ □ 満＝マン／みーちる
　例 電車は満員だった。／お店は満席だった。／ホテルは満室だった。
▶ □ 足＝ソク／ゾク／あし／たーりる
　例 この島では、医者が不足している。／お金が足りない。

3 正答3

□ 貧しい：poor ／贫穷／가난하다
▶ □ 貧＝ヒン／ビン／まずーしい
　例 貧しい食事

他の選択肢
1 大人しい（quiet ／老练的／얌전하다）
2 懐かしい（nostalgic ／思念的／그립다, 반갑다）
4 激しい（hard ／激烈的／심하다, 격심하다）

4 正答2

□ 渋滞：congestion ／堵车／차량 정체
▶ □ 渋＝ジュウ／しぶーい
　例 成績表を見せると、父は渋い表情をした。（When I showed my grade report, my father made a sour face. ／一看到成绩单，父亲就一脸难看的表情。／성적표를 보이자 아버지는 떨떠름한 표정을 지었다.）
▶ □ 滞＝タイ／とどこーおる
　例 日本に1週間滞在する予定です。（I am scheduled to stay in Japan for one week. ／预定在日本待一周。／일본에 1주일간 체재할 예정입니다.）

5 正答4

□ 評価（する）：evaluation ／评价／평가
▶ □ 評＝ヒョウ
　例 評判（reputation ／评判／평판）、批評（する）（criticism ／批评／비평）
▶ □ 価＝カ
　例 価値（value ／价值／가치）、価格（＝値段）、高価（な）（＝値段が高い）

6 正答1

□ 分かれる：to split ／分开、区分／나누어지다
▶ □ 分＝ブン／わーかれる
　例 ここから道が2つに分かれている。

7 正答3

□ 技術：technique ／技术／기술
▶ □ 技＝ギ／わざ
　例 技能（＝技術や能力）、特技（＝得意とする技能）

▶ □術=ジュツ／すべ　例 手術(しゅじゅつ)

8　正答 2

□首都(しゅと)：capitol／首都／수도
▶ □首=シュ／くび
　例 首脳(しゅのう)
▶ □都=ト／みやこ
　例 東京都(とうきょうと)(Tokyo Metropolitan Government／东京都／동경도)、都会(とかい)(urban area／都市／도시)

問題 2

9　正答 4

□専門(せんもん)：specialty／专业／전문
▶ □専=セン／もっぱら
　例 経済を専攻する(けいざいをせんこうする)(to major in economics／专攻经济专业／경제를 전공하다)
▶ □門=モン／かど
　例 入門書(にゅうもんしょ)(introduction／入门书／입문서)

10　正答 3

□飾る(かざる)：to decorate／装饰／장식하다
▶ □飾=ショク／かざーる
　例 花を飾る(はなをかざる)、壁に絵を飾る(かべにえをかざる)、飾り物(かざりもの)

11　正答 4

□資料(しりょう)：document／资料／자료
▶ □資=シ
　例 資源(しげん)(resources／资源／자원)
▶ □料=リョウ
　例 料理(りょうり)、原料(げんりょう)

12　正答 2

□(味が)薄い(あじがうすい)：bland, mild／(味道)淡／맛이 싱겁다
▶ □薄=ハク／うすーい
　例 薄い紙(うすいかみ)(thin paper／薄薄的纸／얇은 종이)／化粧が薄いと言われた(けしょうがうすいといわれた)。(They said that I put on light makeup.／别人说我妆画得淡。／화장이 연하다고 했다.)

13　正答 1

□探す(さがす)：見えないものを見つける。
▶ □探=タン／さがーす
　例 海底探査(かいていたんさ)、本を探す(ほんをさがす)

14　正答 2

□不安(ふあん)：uneasy／不安的／불안한
▶ □不=フ
　例 不便な町(ふべんなまち)、不幸な人(ふこうなひと)、不満を言う(ふまんをいう)、不可能な話(ふかのうなはなし)、不十分な説明(ふじゅうぶんなせつめい)
▶ □安=アン／やすーい
　例 安心(する)(あんしん)、安全な町(あんぜんなまち)

問題 3

15　正答 2

□食品(しょくひん)：食べ物、また飲み物。特に、食べ物となる製品(せいひん)。
　例 食品売り場(しょくひんうりば)

他の選択肢
1 食欲(しょくよく)　例 最近、食欲がない(さいきん、しょくよくがない)。
3 食料(しょくりょう)　例 ここには、3日分の水と食料がある(みっかぶんのみずとしょくりょうがある)。
4 食事(しょくじ)　例 食事の時間は大体決まっている(しょくじのじかんはだいたいきまっている)。

模擬試験 第2回 解答・解説

16 正答 1

- **シンプル（な）**：simple ／简单／단순한
  - 例 シンプルなデザイン

他の選択肢
- 2 サンプル 英 sample 例 サンプルを見て決める
- 3 レンタル 英 rental 例 DVDをレンタルする
- 4 タイトル 英 title 例 映画のタイトル

17 正答 1

- **（計画を）立てる**：to make (a plan) ／定计划／(계획을) 세우다
  - 例 夏休みの予定を立てる

他の選択肢
- 2 乗る
  - 例 相談に乗る (to give advice, to provide consultation for ／参加商谈／상담을 해주다)
- 3 かける 例 電話をかける
- 4 上げる 例 値段を上げる

18 正答 2

- **実家**：親と一緒に住んでいた家、親が住む家。
  - 例 実家の両親に会いに行く。

他の選択肢
- 1 家庭 例 温かい家庭、家庭環境
- 3 家族 例 四人家族、家族が集まる
- 4 親戚 例 遠い親戚

19 正答 4

- **とうとう**：finally ／终于／마침내
  - 例 あの二人、ずっとけんかをしていたけど、とうとう別れたらしい。

他の選択肢
- 1 まあまあ
  - 例 まあまあおいしかった。(It tasted okay. ／还算好吃吧。／그럭저럭 맛있었다 .)
- 2 そろそろ
  - 例 そろそろバスが来るころだ。(The bus is supposed to come soon. ／公共汽车快来了。／슬슬 버스가 올 시간이다 .)
- 3 なかなか
  - 例 なかなか会議が終わらない。(It is hard to conclude the meeting. ／会议怎么都结束不了。／좀처럼 회의가 끝나지 않는다 .)

20 正答 3

- **大人しい**：quiet ／成熟的／얌전하다
  - 例 この犬は大人しいから、そんなに *吠えない。 *吠える：to bark ／吠／짖는

他の選択肢
- 1 細い 例 細い体
- 2 面白い 例 面白い映画
- 4 遅い 例 遅い夕食

21 正答 1

- **ぎりぎり**：at the very last minute, barely ／最大限度／빠듯함
  - 例 ぎりぎり電車に間に合った。

他の選択肢
- 2 ばらばら (separately, in pieces ／零乱／제각각 , 뿔뿔이)
  - 例 ばらばらにならないよう、クリップでとめた。
- 3 わくわく：期待や喜びで心が落ち着かない様子。
  - 例 ハワイに行くのは初めてなので、わくわくする。
- 4 どきどき（激しい運動や）不安や興奮などで心臓の動きが速くなる様子。(It describes that the heart beats faster with anxiety, excitement, (hard exercise) etc. ／心怦怦地跳（激烈的运动等）由于担心和幸福而导致心跳加速的样子。／두근두근 (심한 운동이나) 불안이나 흥분 등으로 심장의 고동이 빨라지는 모습 .)
  - 例 合格発表を見に行った時は、すごくドキドキした。

解答・解説

22 正答 2

□（お金を）下す：to draw(money from) ／取钱／(돈을) 찾다

他の選択肢
1 落とす　例 財布を落とす
3 取る　例 席を取る、予約を取る、免許を取る、100点を取る、メモを取る
4 付ける　例 サービスを付ける

23 正答 1

□ 費：〜fee ／〜费／〜비
例 彼は自分で大学の学費を払っている。

他の選択肢
2 賃　例 家賃、運賃（≒電車・バスなどの料金）
3 代　例 電話代、電気代、バス代、食事代、プレゼント代
4 料　例 入場料、授業料、使用料、送料

24 正答 4

□ 徹夜（する）：(作業などのために)朝まで起きていること。
例 徹夜で映画を見た。

他の選択肢
1 平日
例 平日は午後8時まで営業している。(On weekdays, it is open until 8 p.m. ／平时营业到八点结束。／평일은 오후 8시까지 영업하고 있다.)
2 日中
例 日中はほとんど家にいない。(Usually I am not at home during the day. ／白天几乎都不在家。／낮에는 거의 집에 없다.)
3 夜中
例 昨日、夜中に電話がかかってきた。(Yesterday I received a phone call in the middle of the night. ／昨天半夜三更地有人打来电话。／어제 한밤중에 전화가 걸려 왔다.)

25 正答 4

□ 正直（な）：honest ／正直的／정직한
例 正直に答えてください。

他の選択肢
1 正解（する）　例 クイズに正解する
2 正式（な）　例 正式な名前 (formal, official ／正式的名称、正式的名字／정식의 이름)
3 正確（な）　例 正確な情報 (accurate ／正确的信息／정확한 정보)

問題 4

26 正答 4

□ 逆：反対。
例 逆方向の電車、予想と逆の結果

27 正答 3

□ タイプ：型。英 type
例 前と同じタイプのカメラを買いたい。

28 正答 1

□ のぞく→覗く：to peep ／窥见／들여다보다
例 店の中をのぞいたら、客が一人もいなかった。

模擬試験 第2回 解答・解説

29 正答 2

□ **乱暴(な)**：①態度や動作が非常に荒い様子 ②やり方や物の扱い方が荒く、雑な様子（① rude ② rough ／①态度和动作非常粗枝大叶 ②做法和对待事物的方式很粗鲁、粗糙的样子／①태도나 동작이 대단히 거친 모습 ②방법이나 물건의 취급이 거친 모습）
例 ①乱暴な男
　②乱暴な言葉づかい、道具を乱暴に扱う

30 正答 1

□ **じっくり**：落ち着いてゆっくり、十分に物事をする様子。
例 時間をかけて、じっくり煮る

34 正答 3

□ **真剣(な)**：serious／认真的／진지한
例 真剣に勉強しないと合格できない。

他の選択肢 1 ていねい、2 本当のところ、4 まじめ、などが適当。

35 正答 1

□ **損をする**：to lose money, to make a loss／损失／손해를 보다
例 彼は株で損をしたようだ。

他の選択肢 2 古くなる、3 不利になる (to be disadvantaged／变得不利／불리하게 되다)、4 足りない、などが適当。

問題 5

31 正答 3

□ **集団**：人や動物などの集まり。
例 駅の前にバイクの集団がいる。

他の選択肢 1 集中、2 まとめる、4 集合、などが適当。

32 正答 4

□ **老いる**：年をとる。
例 老いた父が一人で暮らしている。

他の選択肢 1・2 古くなる、3 枯れる、などが適当。

33 正答 2

□ **カット**：切る、省略する。英 cut
例 いらない部分をカットする。

他の選択肢 1 短くする、3 割り引き、4 減らす、などが適当。

言語知識(文法)・読解

文 法

問題1

1 正答 3

□ ～ことは
例 忙しいことは忙しいが、出席するつもりだ。(＝忙しいのは確かだが)

他の選択肢
1 皆には大丈夫と言ったものの、本当は自信がない。(＝言ったけれど)
4 このごろ、忘れることが多くなった。

2 正答 3

□ ～とはかぎらない
例 先生だからわかるとはかぎらない。(＝わかるとは決まっていない)

他の選択肢
2 5年くらい前に、テレビに出たことがある。
4 バスが動かないなら、歩いて帰るよりほかない。(＝帰る以外に方法がない)

3 正答 1

□ ～ほど 例 駅に近いほど家賃が高い。

他の選択肢
1 女性に限り半額です。(＝女性だけ特別に)
3 自分の部屋ぐらい自分で片づけなさい。(＝その程度のことは)
4 夫は私のお弁当まで作ってくれる。(＝も)

4 正答 1

□ ～をもとに
例 このドラマは、ある人の日記をもとに作られた。(＝日記を基本にして)

他の選択肢
2 事故のことは大使館を通じて知った。(through～／通过～／～을 통해)
3 台所をのぞいて床の掃除は済んだ。(＝台所を入れないで)
4 母への感謝の気持ちをこめて、この曲を作りました。(＝中に入れて)

5 正答 4

□ ～にとって
例 私にとって、犬は家族のようなものだ。

他の選択肢
1 目上の人に対して、そんな話し方は失礼だ。
2 日本の経済について、レポートを書くつもりだ。
3 講演会は、市の文化センターにおいて行われる予定だ。(＝で)

6 正答 4

□ ～だけでなく
例 国語だけでなく、数学の成績も上がった。

他の選択肢
1 着ている服からいって、大学の先生とは思えない。(＝服から判断すれば、当然)
2 子供だけでなく、親まで呼ばれて注意された。
3 春といえば桜です。(＝春と聞いてすぐイメージするのは)

模擬試験 第2回 解答・解説

7 正答 3

□ 〜にくらべて
例 昔に比べて洋服が安くなった。

他の選択肢
1 コンサートは、ABCホールにおいて行われる。（＝で）
2 インさんは、留学生の代表としてスピーチをした。
4 成長するにしたがって、顔が母親に似てきた。（＝成長するのに合わせて、だんだん）

8 正答 4

□ うかがいます
例 これからすぐお宅に伺います。（＝お宅に行きます）

他の選択肢
1 先生はもうすぐ、こちらにお越しになります。
2、3 社長は何時に会社へいらっしゃいます［おいでになります］か。

9 正答 2

□ 〜させてください
例 この仕事は、私にさせてください。

10 正答 2

□ 〜にしたがって
例 郊外に行くにしたがって、畑が増えてくる。（＝行くのに合わせて、だんだん）

他の選択肢
1 旅行に行くとしたら、どこに行きたい？（＝もし旅行に行くなら）
3 旅行に行くとしても、8月までは無理だ。（＝旅行に行くという場合でも）
4 咳に加えて、熱も出てきた。

11 正答 3

□ 〜として
例 学生として恥ずかしくない行動をしてほしい。

他の選択肢
1 私にとって、家族は宝だ。
2 私としては、子どもの世話にはなりたくない。
4 結婚するとしたら、優しい人を選ぶ。（＝結婚するなら）

12 正答 3

□ 〜てもしかたがない
例 電車が遅れたのは雪のせいなんだから、文句を言ってもしかたがない。

他の選択肢
1 お金を払っているんだから、文句を言ったほうがいい。
2 連絡が遅いとみんなに文句を言われているかもしれない。
4 「ボーナスが少ない」と、社員は文句を言っているに違いない。（＝きっと文句を言っているだろう）

13 正答 1

□ 〜ようになっている
例 目覚まし時計は6時に鳴るようになっている。

他の選択肢
2 この目覚まし時計は正確に鳴るようだ。
3 修理すれば、この目覚まし時計も正確に鳴るようになる。
4 修理して正確に鳴るようにするつもりだ。

解答・解説

問題2

14 正答4

夏休みの ₂日数や期間 ₁は ₄会社 ₃によってかなり違うようだ。

⇒【[夏休みの〈日数や期間〉]は〈会社によって〉かなり違う】ようだ。

15 正答4

説明が ₂詳しすぎて ₁かえって ₄わかりにくく ₃なって しまった。

⇒[〈説明〉が 詳しすぎて]〈かえって〉[〈わかりにくくなって〉しまった]。

16 正答2

推薦状が ₄あっても ₃必ずしも ₂合格する ₁というわけではない。

⇒【[〈推薦状〉が]あっても】〈必ずしも〉〈[合格する]というわけではない]。

17 正答1

彼の ₂ことだ ₄から ₁今日も ₃遅刻する にちがいない。

⇒【[〈彼のことだ〉から] [〈今日も〉遅刻する]】にちがいない。

18 正答2

結婚式 ₃には ₄家族と親戚 ₂だけが ₁出席する ことになった。

⇒【[〈結婚式〉には〈家族と親戚〉だけが〈出席する〉]こと】になった。

問題3

19 正答4

「…という言葉には…という響き」を「自然に感じる（自発）」という意味なので、受身と同じ形が入る。

他の選択肢

1 例 多くの人が、昨年より物価が高くなったと感じている。
2 例 外国にいると、日本人であることを強く感じさせられる。
3 例 大人なら、芸術の素晴らしさをもっと感じてよいものだ。（＝感じるのが普通だ）

20 正答1

この文には具体的な例がいくつか示されているので、「これから例が示されることを表す語」が入る。

他の選択肢

2 例 彼は私の母の兄の子供、つまり、いとこです。
3 例 砂糖を入れて5分煮ます。それから、塩を少し入れます。
4 例 音楽はあまり聞きません。しかし、嫌いというわけではありません。

21 正答3

この文の「家族で楽しむおせち料理」というのは、「古くからの伝統的なおせち料理」のこと。「昔から現在まで人々が持っているイメージ」を表す表現が入る。

他の選択肢

2 例 日本人は働きすぎと思われているけど、このイメージはいつからだろう。
4 例 現在の彼は、けんかばかりしていた頃のあのイメージと全く違っていた。

22 正答2

「おひとり様」の意味を表す表現が入る。

23 正答1

「おひとり様は気楽さを求めている」と、筆者の考えをはっきり表す表現が入る。

模擬試験 第2回 解答・解説

読解

問題4（短文）

(1)学生へのメモ

24　正答2

「出席できない場合は19日（月）までに私に連絡する」に注目。「私」はメモを書いた先生のこと。

他の選択肢
1→会場については何も言っていない。
3→「話し合いたいことがあれば」であって、「決める」ようには言っていない。
4→「会議に欠席する人は…」が正しい。

ことばと表現
- 講演：たくさんの人の前であるテーマについて話をすること。
- どうしても：どのようにしても。どれだけ頑張っても。
- 指示（する）：direction, instruction／指示／지시

(2)「修理問い合わせへの回答」

25　正答2

「発売されてまだ半年の製品（→発売後1年以内なら）」「ご購入から1年以内の扱い」「保証の対象となります（→無料で修理ができる）」の3つがポイント。

他の選択肢
1→「保証の対象となる」と書かれている。
3→保証書もレシートも見つからない。
4→「交換」とは書かれていない。

ことばと表現
- 当社：自分の会社のこと。
- 製品：product／产品／제품
- 問い合わせ：わからないことを聞くこと。
- △通常：いつも。普通は。
- 購入（する）：買う。
- 保証書：guarantee／保修单／보증서
- ～の扱いとする：～として考える。
- 対象：object, target／对象／대상
- 弊社：会社以外の人に対して、自分の会社のことを少し下に置いて表現した言葉。

(3)「ジョギングのすすめ」

26　正答2

選択肢2の「精神面での効果」は、「走ることで～気持ちが明るくなる」の部分を指す。

他の選択肢
1→テストステロンが原因だとわかっている。
3→「忙しい人にこそおすすめ」とある。
4→「毎日が無理でも、週に1日でも走ってはどうか」と書いてある。

ことばと表現
- ただ～だけではない：～だけではなく、もっといいことがある。
- ストレス：stress／精神压力／스트레스
- 毎日走れとは言わない：毎日走るべきだ、と言うつもりはない。
- △精神：（体に対して）心。「精神面」は「心の部分」という意味。
- かえって：逆に。

(4)「花見」

27　正答4

筆者は、春の花見と違い、紅葉のときは「紅葉の下で食べたり飲んだりしない」ことを「どうしてか」と不思議に思っている。

解答・解説

他の選択肢

1 →「花見→食事やお酒を楽しむ、紅葉→見て楽しむだけ」という違いがポイント。
2、3 → 春の花見についての説明。特に不思議には思っていない。

ことばと表現

□ ふと：何か理由があったり、何か感じたりしたのでもなく。
△ 庭園：garden ／庭园／정원
□ 観光客：観光に来た人。

問題5（中文）

(1)「書道」

28 正答2

前の文の「字の形や筆の動かし方を頭の中に思い浮かべる（＝心でイメージしたり思い出したりする）」がヒント。

他の選択肢

1、3 →「えんぴつでの書き方」「先生が見せた書き方」ではない。
4 →「実際に書いたときの書き方」ではない。

29 正答3

すぐ後の文に「筆や墨は上手に使わないと服を汚したりする」とある。

他の選択肢

1、2 →「服の洗濯」「道具を借りること」については書かれていない。
4 →「使い方がわからないとき」については何も述べていない。

30 正答3

文全体の内容は「書道によって人生に必要な基礎の力（集中力と道具をあつかう力）がつく」というもの。

他の選択肢

1 →「字を書く機会」については触れていない。
2 → 親が教えるかどうかはポイントではない。
4 →「大人にもすすめたい」とは言っていない。

ことばと表現

□ 習い事：ピアノや書道、料理など、教室に通って習う物事。
□ 集中（する）：（気持ちや人が）一つのところに集まること。また、集めること。
　例 隣の人がうるさくて、勉強に集中できない。
□ 身につく：知識や技術、習慣などが自分のものになる。
□ 落ち着かせる：静かにさせる。
□ 動かす：物のある場所を変える。
　例 掃除をするので、テーブルを動かした。
□ 思い浮かべる：心でイメージしたり思い出したりする。
□ 〜に沿って：〜のとおりに。
□ 自然に：naturally ／自然地／자연히
□ あつかう：treat, deal ／处理／취급하다
□ 学ぶ：学習する。
□ 基礎：基本になるもの。

「バイク旅行の思い出」

31 正答3

「〜ことに」が入っている文の内容に注目する。ここでは、「毎回違う景色に出会うことができる」のが不思議だということ。

他の選択肢

2、4 →「人が少ない」「天気がよく変わる」とは書かれていない。

模擬試験 第2回 解答・解説

32 正答4

「事故やトラブルが起きないだろうか」は不安を、「何か楽しいことが待っているに違いない（＝きっと待っている）」は期待を表している。

他の選択肢

1→「行き先も決めずに」とあり、「湖に着くこと」も決めていなかった。
2→「学校の規則」については書かれていない。
3→「人と出会うこと」を期待していたのではない。

33 正答1

第2段落の最後に、いい天気だったこと（←太陽の光を浴びて）や「人との出会いが新鮮だったこと」が書かれている。

他の選択肢

2、4→そのような内容は書かれていない。
3→自然のすばらしさはポイントではない。

ことばと表現

- △ 高原：plateau, highland／高原／고원
- □ 訪れる：ある場所や人の家などに行く。
  例 この街を訪れるのは3回目だ。
- □ 通学（する）：学校に通うこと。
- □ ～に違いない：きっと～だ。
- □ どきどき（する）：（激しい運動や）不安や興奮などで心臓の動きが速くなる様子。(It describes that the heart beats faster with anxiety, excitement, (hard exercise) etc.／心怦怦地跳（激烈的运动等）由于担心和幸福而导致心跳加速的样子。／두근두근（심한 운동이나）불안이나 흥분 등으로 심장의 고동이 빨라지는 모습.)
- □ 太陽：sun／太阳／태양
- □ きらきら（する）：（星や宝石、海などが）光る様子。
- □ 連続（する）：続くこと。
  例 A大学が3年連続で優勝している。
- △ 輝き：shine, glitter／光辉／반짝임
- □ 飽きる：to get tired of／烦腻／질리다, 싫증나다
  例 その話はもう何回も聞いて飽きた。
- □ 可能性：possibility／可能性／가능성
- □ 期待（する）：expectation／期待／기대
- □ きっかけ：物事が始まる原因や機会。

問題6（長文）

「サークルで町おこし」

34 正答4

前の文「住民による小さなイベント～大きく広がることがある。」に注目。

他の選択肢

1、2→スポーツ大会だけを言っているのではない。
3→「県の内外から」出場したと書かれている。

35 正答1

次の段落に「町おこしは大成功だ」とあるので、その前の文に注目→「大会中は町に人があふれ」「市内を観光して帰る人も多い」。

他の選択肢

2、3、4→「チームを強くする」「まつりを作る」「サークルの名前を広める」のどれも書かれていない。

36 正答2

「宣伝」は「商品などのよさを広く知らせること」。第3段落の「おべんとうを注文するという参加ルールがある」「おべんとうには地元の（＝その町の）食材を使うことになっている」がポイント。

他の選択肢

1、3、4→「作った米や野菜を旅館で使う」「おべんとうにめずらしい野菜を使う」「会場で農産物を売る」は、どれも本文にない。

解答・解説

37 正答 2

「町の方々とボランティアの力を借りて、来年もよりよい（＝もっといい）大会にしたい」と言っている。

> 他の選択肢
1 → ホームページはもう作られている。
3、4 → 「手紙を送ってほしい」「勝ち負けを決めたくなかった」は、どれも本文にない。

> ことばと表現
- 住民：その場所に住んでいる人々。
- イベント：行事。event ／活动、娱乐／이벤트
- サークル：趣味の活動をするグループ。
- 名物：その場所の有名なもの。
- 出場（する）：試合や大会に出ること。
- おとずれる：to visit ／访问／방문
- 交流（する）：interaction, exchange ／交流／교류
- 広める：広く知られるようにする。
- 商店街：商店がたくさん並んでいる通り。
- 協力（する）：ある目的のために力を合わせること。
- 呼びかける：（参加や協力を）お願いする。
- 当日：その日。
- 宣伝（する）：商品などの良さを広く知らせること。
- 地元：local area ／当地／고장
- あふれる：（水や人が）いっぱいになって外に出る。
  例 川の水があふれて田んぼに流れ込んだ。
- 成功（する）：success ／成功／성공
- プレー（する）：play ／比赛、游戏／플레이
- ～の方々：「～の人たち」の丁寧な言い方。
- 公開（する）：誰でも自由に見られるようにすること。
- 農産物：米や野菜など、農業で作られた物。
- 感想：何かを見たりしたりしたあとに、感じたり思ったりしたこと。

問題7（情報検索）

「バスツアー」

38 正答 2

ホテルの料金は旅行会社に払う。スキー教室の参加費はスキー場で払う（※旅行会社に払うのではない）。

> 他の選択肢
1 → 基本代金に3000円追加しなければならない。
3 → スキー教室1日分の参加費は当日払う。

39 正答 1

「旅行者」は申し込む人の名前と、旅行に行く人の人数を書く。スキー教室に参加するかどうかは書かなくてもいい。

> 他の選択肢
2、4 → 宿泊先（泊まる所）が書かれていない。
3 → 旅行者全員の名前は書かなくてもいい。

> ことばと表現
- 夜行バス：夜の間、走るバス。
- 基本代金：basic charge ／基本款额／기본요금
- 宿泊（する）：ホテルなどに泊まること。
- 用具：スポーツや学習などで使う道具。
- （スポーツ）ウェア：スポーツ用の服。
- ただし：しかし。前に述べたことに条件や例外を足すときの言葉。
  (however: tadashi is used when you want to add some restrictions or exceptions to what you have said. ／只是：但是。对于前面所叙述的事项补充说明或提出例外性词语。／단지：앞에 서술한 것에 조건이나 예외를 덧붙일 때의 말.)
- 変更（する）：（時間や場所、方法などを）変える。
- 人数：人の数。
- ～が可能だ：～ができる。
- 健康保険証：health insurance card
- ご持参ください：持ってきてください。

47

聴 解

問題1（課題理解）

れい　正答1　03 CD2

会社で、女の人と男の人が話しています。女の人は、このあと、まず何をしなければなりませんか。

F：ABC広告の川島部長が、そろそろいらっしゃる時間ですね。
M：うん。資料のコピーはしてくれた？
F：はい、こちらです。6部で足りますか。
M：そうだね、ありがとう。いらしたら、2階の会議室に案内してくれる？ぼくはもう一つ資料を持って行くから、その間にお茶を出しておいて。
F：わかりました。あ、エアコンもつけておきますね。
M：ああ、それはさっき田中さんがやってくれたみたい。じゃ、よろしくね。
F：はい。

女の人は、このあと、まず何をしなければなりませんか。

1ばん　正答1　04 CD2

女の人と男の人が会社で話しています。男の人はどこで昼ごはんを食べますか。

F：ねえ、最近できた<u>イタリアン</u>、人気みたいね？
M：ああ、うちの目の前にできた店でしょ。いつも<u>行列</u>ができてるね。
F：ピザがおいしいらしいよ。今日のお昼、そこに行ってみない？
M：いいけど、時間、大丈夫かなあ。午後から会議じゃない。
F：そうか…。絶対混むしね。やめといたほうがいいか。
M：じゃあ、その隣の<u>和食</u>レストランに行く？
F：そこは昨日行ったばかりなのよ。まあ、いいんだけど…。
M：じゃあ、ハンバーガーは？すぐ食べられるし。
F：そうねえ…。でも、雨だからなあ。あんまり遠くまで、歩きたくないな。…ごめん、今日は何か買って食べるよ。
M：あ、そう。じゃあ、僕はハンバーガーにするよ。

男の人はどこで昼ごはんを食べますか。

ことばと表現

☐ イタリアン：イタリア料理。イタリア料理の店。
☐ 行列：（客などが）長く並んでいること。
☐ 和食：日本料理。

2ばん　正答4　05 CD2

女の人と男の人が会社で話しています。男の人はまずどこへ行きますか。

F：あ、川島さん、今晩、みんなでご飯食べに行こうって言っているんだけど、川島さんも一緒にどう？
M：あ、いいね。どこに行くの？
F：ちょっと遠いんだけど、あさひ町に新しくできたスペイン料理のお店。
M：あさひ町？だったら、うちの近くだよ。何時から？
F：7時半で予約した。私たちはもう、これから会社出るところだけど、川島さんは？
M：今メールの返事を書いてて、あと10分くらいかかるかな。いいよ、<u>先行ってて</u>。
F：ああ、川島さんってバイクだっけ？
M：うん。でも、ワイン飲みたいから、今日はうちに置いてから行くよ。
F：じゃあ、お店に直接行く？
M：いや、<u>改札</u>で待ってるよ。ぼくのほうが先に

着くから。
F：そうか。じゃあ、またあとでね。

男の人はまずどこへ行きますか。

ことばと表現

□ 先行ってて：先に行っていてください。
□ 直接（行く）：ほかにどこにも寄らないで。
□ 改札：ticket gate／检票／개찰

3ばん 正答3　06 CD2

女の人と男の人が会社で話しています。男の人はこれからどうしますか。

F：田中さん。
M：はい。
F：明日の会議なんだけど、会議室の予約、してくれた？
M：はい。第1会議室を予約しておきました。
F：え？ 第1会議室？ 会議の参加者は5人だから、ちょっと広すぎるんじゃない？
M：ええ、私もそう思ったんですが、第2会議室は先に予約が入っていまして…。
F：第3会議室は？ 第2会議室とだいたい同じ広さでしょ？
M：はい。でも、インターネットが使えないんです。それだとまずいんですよね。
F：うん。今回は画面を見ながら話をしたかったから。…じゃあ、仕方ないね。机の並べ方をなるべく話しやすいようにしてくれる？
M：わかりました。

男の人はこれからどうしますか。

ことばと表現

□ まずい：よくない。
□ 画面：screen／画面／화면

4ばん 正答3　07 CD2

母親と息子が話しています。息子はまず何をしますか。

F：ひろし、ちょっとお願いがあるんだけど。
M：何？
F：庭の掃除をしてくれないかなあ。風で葉っぱが飛んできてるのよ。
M：いいけど、今、宿題してるから、終わってからでいい？
F：いいよ、もちろん。あと、掃除が終わったら、洗濯物を中に入れといてくれる？ もうすぐ雨が降りそうだから。
M：わかった。お母さんはこれから出かけるの？
F：うん、ちょっと歯医者にね。5時に予約だから。
M：ふーん…。あれ？ 雨かなあ。もう降ってきたんじゃない？
F：あ、ほんとだ、すぐ入れないと。ひろし、いい？ 私、もう行かないといけないから。
M：わかった。やっとくよ。

息子はまず何をしますか。

ことばと表現

□ 入れといて：入れておいて。
□ 入れないと：入れなければなりません。
□ やっとくよ：やっておくよ。

5ばん 正答2　08 CD2

図書館で、男の人が係の人と話しています。男の人は明日、何を持ってきますか。

M：すみません、この本を借りたいんですが…。
F：図書館カードはお持ちでしょうか。
M：いえ、今日、初めて利用するので…。
F：そうですか。では、カードをお作りしますので、こちらにご住所とお名前をお書きください。
M：はい。…これでいいですか。
F：はい。…あ、市内にお住まいじゃないんですか。
M：あ、はい。
F：申し訳ありません。市内にお住まいの方じゃないと、貸し出しができないんです。
M：そうなんですか。職場に近いから、利用したかったんですが…。
F：職場は市内なんですか。
M：ええ。ここからすぐのところにあります。
F：でしたら、お作りできますよ。何か、それが

模擬試験 第2回 解答・解説

わかるものはありますか。
M：ああ、今はないですね。いいですよ、明日また来ますので。
F：そうですか。わかりました。

男の人は明日、何を持ってきますか。

ことばと表現
- 市内：市の中(にある)。
- 職場：会社。仕事をする場所。

6ばん　正答4　09 CD2

男の人と女の人が会社のパーティーの準備をしています。女の人はまず何をしますか。

F：テーブルはこんな感じでいいかな？
M：うーん、テーブル同士が離れすぎてない？もっと近いほうがいろいろな人と話せていいと思う。
F：そうね。じゃあ、動かそう。
M：あ、待って。コップを置いたままじゃ危ないよ。
F：あ、ごめん、ごめん。まずはコップね。あ、そう言えば、お皿とコップの数なんだけど、これで足りそう？
M：えーと、結局、何人来るんだっけ？参加者のリストは？
F：ちょっと待って。…あ、しまった！会社に置いてきちゃった！
M：えっ、忘れてきたの!?　受け付けができないじゃない！
F：ごめんなさい。
M：ここはいいから、早くとってきて。
F：うん。

女の人はまず何をしますか。

ことばと表現
- 〜っけ？：〜か。それで正しいか、はっきりしないときに、人に答えを求める表現。
- しまった：失敗したときなどに残念な気持ちを表す表現。
- 置いてきちゃった：置いてきてしまった。
- できないじゃない：「できないではないか」という意味。相手に疑問や不満を示す。

問題2（ポイント理解）

れい　正答1　11 CD2

女の学生と男の学生が電話で話しています。男の学生は、どうして家を出るのが遅くなりましたか。

F：ちょっと早めに着いたから、先に店に行ってるね。田中君は今どこ？
M：今家を出たところ。30分くらい待って。
F：えー、遅いよ。お昼食べる時間、なくなっちゃうじゃない。
M：ごめん、実は朝から体がだるくて…。ちょっと熱があるみたいで…。
F：そうなの？じゃあ、今日のセミナーはやめといたら？
M：…大丈夫だよ。
F：同じようなのを定期的にやってるから、また行けばいいよ。それより家で寝てたほうがいいって。
M：うーん…わかった。

男の学生は、どうして家を出るのが遅くなりましたか。

1ばん　正答2　12 CD2

会社で、男の人と女の人が話しています。女の人はどうして会社をやめますか。

M：田中さん、会社、やめるって聞いたんですが、本当ですか。
F：え、うん。
M：どうしてなんですか。
F：主人が転勤することになったのよ、大阪に。
M：ああ、それでですか。じゃあ、別に会社がいやになったから、というわけじゃないんですね。
F：うん、全然。この会社、結構好きだし。通えるなら通いたいけど、大阪だからね。
M：むこうでまた働くんですよね。もう次のところは決まってるんですか。
F：まだまだ。急に決まったことだし。新しい仕事はむこうに引っ越してから。
M：そうか…。でも、せっかくだから、ちょっと

休んだらどうですか。2週間くらい旅行に行くとか。
F：そうねえ、余裕があればね。
M：じゃあ、ちょっと寂しくなるけど、むこうで頑張ってください。
F：うん、ありがとう。

女の人はどうして会社をやめますか。

ことばと表現

- □ 転勤（する）：同じ会社の中で、勤める場所が変わること
- □ 結構：かなり。pretty, quite ／非常／상당히
- □ 余裕がある：お金や時間が十分ある。

2ばん　正答3

外国人留学生がスピーチをしています。日本人のよくないところは何だと言っていますか。

M：私が日本に来て思うことは、日本人は時間に厳しいということです。バスや電車の時間はいつも正しいし、友達と約束しても、遅れることはほとんどありません。すごいなあと感心します。でも反対に、バスや電車が遅れたり、友達が約束に遅れたりすると、待っている人はとてもイライラします。決められたことを守るのはいいことだと思いますが、いつもいつも時間を気にするのは、どうなんでしょうか。たまには、ゆっくり時間を過ごすのもいいのではないでしょうか。

日本人のよくないところは何だと言っていますか。

ことばと表現

- □ 感心する：to have admiration for ／佩服／감탄하다
- □ イライラする：思いどおりにならなくて、落ち着かない様子。
- □ 気にする：心配する。
- □ たまには：ときどき。

3ばん　正答3

テレビで、新製品について説明しています。この製品について、特にどんなところがいいと言っていますか。

M：家族が増えたから、もっと大きい冷蔵庫がほしいけど、置く場所がないとお思いのあなた、この冷蔵庫がおすすめです。中の広さは今までの冷蔵庫の1.3倍なのに、大きさは今までのものと同じなんです。つまり、今、冷蔵庫を置いてある場所にそのまま置けて、今よりたくさん物が入れられるんです。しかも、一か月の電気代が今までの約半分。うれしいですね。そして気になるお値段ですが、今回は特別価格の7万5千円です。もちろん、全国どこでも送料は無料です。ほしいと思った方は、こちらにお電話を！

この製品について、特にどんなところがいいと言っていますか。

3→電気代が安いことは「しかも」のあとなので、一番いいところではない。
4→（置く場所に困らないが）小さいとは言っていない。

ことばと表現

- △ おすすめ：recommendation ／推荐／권장함
- □ つまり：in other words, in short ／总之／결국
- □ しかも：それだけでなく、さらに。
- □ 価格：値段。
- □ 送料：物を送るときにかかるお金。

4ばん　正答3

大学の事務室で、男の学生が係の人と話しています。男の学生は何ができないですか。

M：すみません、102教室を使いたいんですが。
F：102ですか。使用目的は何ですか。
M：授業で発表があるんですが、その前に学生だけで練習したいんです。
F：わかりました。いつから使いたいんですか。
M：ああ、今からです。3時間くらい使いたいん

です。
F：学生だけの場合、2時間までなんです。
M：そうですか。わかりました。あのう、マイクはお借りできますか。
F：マイクですね。1本でいいですか。
M：はい。
F：じゃあ、マイクと、これが部屋の鍵です。机などは元の状態に戻しておいてください。
M：わかりました。ありがとうございます。

男の学生は何ができないですか。

> ことばと表現

- 使用目的：使う目的。
- マイク：microphone／麦克风／마이크
- 状態：state／状态／상태

5ばん　正答4　[16 CD2]

女の人と男の人が話しています。男の人はどうして疲れているのですか。

F：山田君、なんだか疲れてるみたいだけど、どうしたの？
M：うん、ちょっとね。
F：アルバイトのし過ぎじゃないの？ 夜遅いんでしょ？ レストラン。
M：遅いよ。それに、急に一人やめちゃってね。だから、今、毎日出ているよ。
F：そうなんだ。
M：でも、それはいいんだよ、しょうがないから。働いたら、その分お金ももらえるし。
F：じゃあ、何？
M：仕事じゃなくて、行き帰りのこと。
F：自転車で行ってるでしょ？ 15分ぐらいじゃなかったっけ？
M：そう。でも、自転車がこわれちゃって、今、ないんだ。
F：えっ？ じゃあ、昨日はどうやって行ったの？ もしかして…。
M：そう。歩くには遠かったよ。もう、足が痛くて。

男の人はどうして疲れているのですか。

> ことばと表現

- なんだか：なんとなく。
- 行き帰り：行くことと帰ること。ここでは、行くときと帰るとき。

6ばん　正答3　[17 CD2]

男の人と女の人が話しています。女の人が携帯電話を変えた一番の理由は何ですか。

M：あれ？ ケータイ変えた？
F：うん。
M：ああ、一番新しいやつだ。いいね。使ってみてどう？
F：今までにない機能がいろいろあって楽しいよ。写真もすごくきれいだし、撮った写真の色を変えたり、写真に絵をかいたりできるの。それをすぐ友達に送れるしね。
M：へー。写真をよく撮る人にはすごくいいね。
F：それだけじゃないよ。調べたいことを口で言うだけで調べてくれるし。
M：へー、いいな。でも、高かったんじゃない？
F：それが、すごく安く買えたの。私、ずっとABCフォンのケータイを使ってたから。特別割引。
M：ああ、同じ携帯電話会社のを使ってたら、安くしてくれるんだよね。
F：そう。でないと、わざわざ新しいのに買い替えたりしないよ。

女の人が携帯電話を変えた一番の理由は何ですか。

> ことばと表現

- 機能：function／功能／기능
- 割引(する)：値段が安くなること。
- わざわざ：そのことだけのために。
- 買い替える：古いものを捨てて、新しいものを買うこと。

問題3（概要理解）

れい　正答2　[20 CD2]

留守番電話のメッセージを聞いています。

F：田中です。先日は森さんのお祝いの会に誘っていただき、ありがとうございました。私もぜひ参加したいと思っていたのですが、昨日から娘が熱を出してしまいました。夫も明日は仕事ですし、今回はちょっと行けそうにありません。皆さんとも久しぶりで、お会いできるのを楽しみにしていたので、とても残念です。森さんには、また私からも電話します。本当にすみません。

田中さんが一番言いたいことは何ですか。
1 娘が熱を出している
2 お祝いの会には参加できない
3 みんなに会うのが楽しみだ
4 森さんに電話しておく

1ばん　正答3　[21 CD2]

女の人と男の人が息子について話しています。

F：最近、たけしと話した？
M：いや、どうかしたの？
F：せっかく大学に合格したのに、行かないって言うのよ。
M：えーっ!? あんなに勉強してやっと合格したのに!?
F：そう。理由を聞いても働きたいって言うだけで…。
M：そうか…。まじめなやつだから、何か考えてるんだろうけど。
F：今から働くったって、就職なんかできないでしょう。それに、何の仕事をするって言うの？
M：まあ、そうだけど…。とにかく、話を聞いてみないと。
F：そうね、あなたにはちゃんと話をしてくれると思う、男同士だし。
M：じゃあ、話してみるか。たけしは部屋にいる？
F：ええ。お願いね。

父親は息子の考えについて、どう思っていますか。
1 賛成だ
2 反対だ
3 まだわからない
4 まじめだ

ことばと表現

□ **せっかく**：苦労して、やっと、わざわざ。努力や少ない機会の価値を強調する表現。むだにしてはいけないという気持ちを表す。
(with effort, finally, with difficulty. These are expressions to emphasize the worth of efforts or rare chances. They show that the speaker feel it should not be wasted. ／ 历尽苦难，总算，特地。强调努力或机会少的价值表达方式。表达一种不能浪费的心情。／ 고생하여, 간신히, 일부러. 노력이나 별로 없는 기회의 가치를 강조하는 표현. 헛되이 해서는 안 된다는 기분을 나타낸다.)

□ **やつ**：人。※人を下に見た言い方、また、友達や年下の者に親しみをこめた言い方。
□ **就職**（する）：仕事を見つけてはじめること。
□ **男同士**：男と男。

2ばん　正答4　[22 CD2]

女の人と男の人が話しています。

F：ごめんください。
M：ああ、山田さん。旅行から帰られたんですね。
F：ええ。あの、これ、旅行のおみやげです。
M：ああ、どうもすみません。ありがとうございます。今、ちょうど散歩に行ってるんですよ。もうすぐ帰ってきますから、それまで、ちょっと上がって待ってください。
F：ああ、そうなんですか。じゃあ、すみません。
M：いえいえ。
F：いい子にしていましたか。
M：ええ。すぐなついてくれたし、吠えたりもしなかったし。うちの子も、二人とも犬が大好きだから、楽しかったですよ。ずっと一緒に遊んでました。
F：そうですか。それはよかったです。
M：また、いつでも言ってください。
F：そう言ってもらえると、助かります。

模擬試験 第2回 解答・解説

M：いいえ。あ、帰ってきたみたいです。

山田さんは何をしに来ましたか。
1 子どもを預けに来た
2 子どもを迎えに来た
3 犬を預けに来た
4 犬を迎えに来た

ことばと表現

□ (〜に)なつく：(その人に)慣れて、親しく感じる様子。
□ 吠える：to bark／吼、叫／짖다
□ 助かる：助けられる。ここでは、楽になる。

3ばん　正答2　23 CD2

留守番電話のメッセージを聞いています。

M：田中です。このあいだ貸したDVD、返すのいつでもいいって言ったんだけど、ちょっと状況が変わりました。弟が急に見たいって言い出したんです。申し訳ないんだけど、とりあえず、今週の土曜までに一度返してもらえないでしょうか。代わりに別のDVDを用意します。『005』の一番新しいやつ。最近、買いました。じゃ、連絡待ってます。ああ、で、その時、ついでにお昼でも行きましょう。

男の人が一番言いたいことは何ですか。
1 弟がDVDを見たいこと
2 貸したDVDを早めに返してほしいこと
3 面白いDVDを買ったこと
4 今度、一緒に食事に行きたいこと

ことばと表現

□ 状況：situation／状況／상황

問題4（発話表現）

れい　正答1　25 CD2

道がわからないので、人に聞きます。何と言いますか。

F：1 東京駅に行きたいんですが。
　　2 東京駅に行ってくれませんか。
　　3 東京駅に行ってもいいですか。

1ばん　正答1　26 CD2

見たいテレビ番組がありますが、出かけなければなりません。家族に何と言いますか。

F：1 7時からの番組、ビデオに録っといてもらえない？
　　2 7時からの番組、ビデオで見といてもらえない？
　　3 7時からの番組、ビデオを探しといてもらえない？

2→家族ではなく自分が見たいので、合わない。

2ばん　正答2　27 CD2

レストランで、注文した料理がなかなか来ません。何と言いますか。

M：1 すみません、もう食べてもいいですか。
　　2 すみません、ずいぶん前に頼んだんですが…。
　　3 すみません、その料理、こちらにお願いします。

3ばん　正答1　28 CD2

先生にスピーチの練習をみてもらう約束をしていました。でも、その時間を変更したいです。何と言いますか。

M：1 先生、時間を変えていただけないでしょうか。
　　2 先生、時間を変えたらいいでしょうか。
　　3 先生、時間を変えさせてもらいましょうか。

解答・解説

ことばと表現
□ 変更(する)：変えること。

4ばん　正答3
友達が試験に落ちました。友達に何と言いますか。
F：1 大丈夫？ 手伝おうか？
　　2 困ったなあ。失敗しちゃった。
　　3 元気出して。次があるよ。

問題5（即時応答）

れい　正答2
F：あのう、道がよくわからないので、一緒に行ってほしいんですが。
M：1 そうですね、どうぞ。
　　2 ええ、いいですよ。
　　3 はい、そうしてください。

1ばん　正答1
F：すみません、このカタログ、1部いただいてもいいですか。
M：1 どうぞ、お持ち帰りください。
　　2 いいえ、結構です。
　　3 はい、いただいてください。

2ばん　正答3
M：このあいだ借してくれた本、ちょっと汚しちゃって…。
F：1 はい、汚さないように気をつけます。
　　2 そうでしたか、すみません。
　　3 いいですよ、気にしないでください。

ことばと表現
□ 気にする：心配する。

3ばん　正答1
M：この仕事は僕がやっとくから、もう帰ってもいいよ。
F：1 いいんですか。すみません。
　　2 どうもありがとうございました。
　　3 そうですね。帰ってもいいです。

ことばと表現
□ やっとく：やっておく。

4ばん　正答1
F：さくら広告の鈴木ですが、田中部長をお願いします。
M：1 田中は今、別の電話に出ておりますが…。
　　2 田中部長は今、いらっしゃいません。
　　3 田中さんですね。お待ちください。

2→自分の会社の社員のことを会社の外の人に言うときは、謙譲語(humble language／自謙语／겸양어)を使う
3→自分の会社の社員のことを会社の外の人に言うときは、「さん」をつけない。

5ばん　正答2
M：明日の会議、始まりが遅くなったんだって。
F：1 えっ、まだ始まらないの？
　　2 そう…。何時からになったの？
　　3 それが、よくわからないんだ。

Mの文の最後が上がり調子(…遅くなったんだって？)なら、3が○。

6ばん　正答1
M：困ったなあ。あの資料がないと会議ができないよ。
F：1 会社に取りに帰りましょうか。
　　2 資料をコピーしてください。
　　3 会議をしなければなりませんよ。

模擬試験 第2回 解答・解説

2→「あの資料」と言っているので、資料はここにはない。

7ばん　正答3

F: 来週、テニスの試合があるんです。勝てるといいんですが…。

M: 1 そうですね。それがいいと思います。
　　2 うん。勝ったほうがいいですよ。
　　3 そう。がんばってください。

1→「といいんですが…」は結果を心配するとき使うので、合わない。

8ばん　正答2

F: 家から遠いのに、毎日、どうやって学校に通っているんですか。

M: 1 今日はバスで来ました。
　　2 遠いけど、自転車で来ています。
　　3 電車は毎日混んでいて大変です。

9ばん　正答2

M: お返事はすぐでなくてもいいですか。

F: 1 ええ、それがいいです。
　　2 はい、結構です。
　　3 ええ、早めがいいです。

模擬試験 第3回 解答・解説

正答一覧

言語知識（文字・語彙）

問題1		問題4	
1	2	26	3
2	4	27	2
3	1	28	3
4	3	29	1
5	4	30	2
6	1	問題5	
7	3	31	4
8	2	32	2
問題2		33	4
9	1	34	1
10	3	35	3
11	3		
12	1		
13	4		
14	3		
問題3			
15	2		
16	3		
17	1		
18	2		
19	4		
20	2		
21	1		
22	3		
23	2		
24	3		
25	1		

言語知識（文法）・読解

問題1		問題4	
1	4	24	1
2	3	25	3
3	2	26	2
4	1	27	4
5	4	問題5	
6	4	28	2
7	1	29	3
8	3	30	2
9	4	31	3
10	3	32	3
11	3	33	3
12	2	問題6	
13	3	34	4
問題2		35	2
14	2	36	1
15	3	37	3
16	1	問題7	
17	2	38	3
18	2	39	2
問題3			
19	2		
20	1		
21	1		
22	2		
23	1		

聴解

問題1		問題4	
れい	1	れい	1
1	3	1	1
2	4	2	2
3	3	3	2
4	4	4	3
5	3	問題5	
6	4	れい	2
問題2		1	2
れい	1	2	1
1	1	3	1
2	4	4	3
3	4	5	2
4	2	6	2
5	2	7	1
6	1	8	1
問題3		9	2
れい	2		
1	3		
2	2		
3	2		

※ 解説では「ことばと表現」でN3レベルの語を取り上げ、チェックボックス（□）を付けています。説明のために取り上げた一部の難しい語には△を付けています。

言語知識（文字・語彙）

問題1

1 正答2

- 就職（する）：職業を得ること。
- ▶ 就＝シュウ／つーく
    - （〜に）就く：ある立場や状態に身を置く。
    - 例 仕事に就く（＝就職する、働く）、就業時間（＝社員などが仕事をする時間）、社長に就任する
- ▶ 職＝ショク
    - 例 職場（＝仕事をするところ）、無職（＝仕事に就いていないこと）

2 正答4

- 床：floor／地板／바닥
- ▶ 床＝ショウ／ゆか、とこ
    - 例 床屋、起床（＝目を覚まして起きること）、フォークを床に落とす

他の選択肢　1 窓　2 柱　3 壁

3 正答1

- 充電（する）：to charge／充电／충전
- ▶ 充＝ジュウ／あーてる
    - 例 充分（な）（＝十分（な））、充実（する）
- ▶ 電＝デン
    - 例 電池、電力の供給（electric power supply／电力的供给／전력 공급）

4 正答3

- 貯金（する）：to save money／储蓄／저금
- ▶ 貯＝チョ
    - 例 貯金箱

5 正答4

- 免許：license／许可、执照／면허
- ▶ 免＝メン
- ▶ 許＝キョ／ゆるーす
    - 例 入学許可（admission／入学许可／입학허가）／失敗は許されない。（I must not fail.／There is no room for failure.／不允许失败／실패는 허락되지 않는다.）

6 正答1

- 建設：建物をつくること。
- ▶ 建＝ケン／たーてる
    - 例 建築の技術（architectural technology／建筑的技术／건축 기술）、建物
- ▶ 設＝セツ／もうーける
    - 例 設備（equipment／设备／설비）、施設（＝ある目的のためにつくられた建物や設備）

他の選択肢　2 建築　3 見学　4 検討（＝何が適当か、よく考えること）／見当（clue／预想／짐작）

7 正答3

- 怖い：scary／害怕／무섭다
- ▶ 怖＝フ／こわーい
    - 例 恐怖

他の選択肢　1 厳しい　2 辛い　4 苦しい

8 正答2

- 体調：体の調子。
- ▶ 体＝タイ／からだ
    - 例 体重、団体（ある目的のために人が集まって一つにまとまったもの——例：

団体旅行、団体受験、ボランティア団体）
- ▶ □ 調＝チョウ／しら－べる
  - 例 調査(する)（＝実際はどうなのか、はっきりさせるために調べること）

問題2

9 正答1
- □ 休業：会社、学校、店などが休むこと。
- ▶ □ 休＝キュウ／やす－み、やす－む
  - 例 休日、連休、運休（予定されていた電車などが運転をやめること）
- ▶ □ 業＝ギョウ
  - 例 授業、企業、産業、商業、卒業

10 正答3
- □ 育つ：大きくなる
- ▶ □ 育＝イク／そだ－つ／そだ－てる
  - 例 野菜を育てる

11 正答3
- □ 向かい：across／対面／맞은 편
- ▶ □ 向＝コウ／むーかい、むーかう
  - 例 方向、傾向(tendency／傾向／경향)、駅に向かう

12 正答1
- □ 悲しい：sad／伤心／슬프다
- ▶ □ 悲＝ヒ／かな－しい
  - 例 悲話、悲劇、悲しい歌

13 正答4
- □ 面倒(な)：troublesome／麻烦的／귀찮은
- ▶ □ 面＝メン／おもて、つら
  - 例 正面の入口(front entrance／正面的入口／정면입구)、月の表面、面接(する)
- ▶ □ 倒＝トウ、ドウ／たお－れる、たお－す
  - 例 木が倒れる、相手を倒す

14 正答3
- □ 完全(な)：complete／完全的／완전한
- ▶ □ 完＝カン
  - 例 ビルが完成した。／手術は無事、完了した。
- ▶ □ 全＝ゼン／すべて、まったーく
  - 例 全部食べた。／全然面白くない。／全て本当だ。／全く知らない。

問題3

15 正答2
- □ 頼み：asking／请求、要求／부탁
  - 例 彼の頼みなら、断れない。

他の選択肢

1 疑い
  - 例 ガンの疑いがあると医者に言われた。(The doctor said that I am suspected of having cancer.／医生说怀疑是癌症。／암일 가능성이 있다고 의사가 말했다.)

3 喜び
  - 例 絵で喜びを表現した。(I expressed my joy in the painting.／用绘画来表现喜悦。／그림으로 기쁨을 표현했다.)

4 誘い
  - 例 食事の誘いを受けた。(I was invited to a meal.／接受进餐的邀请。／식사하러 가자고 했다.)

模擬試験 第3回 解答・解説

16 正答 3

□ **ウイルス**：virus／病毒／바이러스　英 virus
例 風邪のウイルス

他の選択肢
1 ビジネス　英 business
　例 新しいビジネスを始めた。
2 オフィス　英 office
　例 このビルに会社のオフィスがある。
4 ボーナス　英 bonus
　例 夏のボーナスが出た。

17 正答 1

□ **通う**：to attend, to commute／去／다니다
例 祖母は足が悪く、病院に通っている。

他の選択肢
2 勤める　例 A社に勤める
3 働く　　例 A社で働く
4 訪ねる　例 挨拶のため、A社を訪ねる

18 正答 2

□ **修正（する）**：間違っているところを直す。
例 データを修正する

他の選択肢
1 修理（する）　例 車を修理する
3 変更（する）　例 予定を変更する（＝変える）
4 変化（する）　例 色が変化する。

19 正答 4

□ **だいぶ／だいぶん**：かなり。
例 漢字がだいぶ読めるようになった。

他の選択肢
1 たまに
　例 たまに図書館で本を借りる。
2 たいてい
　例 日曜日はたいてい家にいる。
3 まれに
　例 まれにビールを少し飲むことがある。

20 正答 2

□ **臭い**：いやなにおいがする。
例 牛乳が臭くなっている。

他の選択肢
1 痛い　例 頭が痛い。
3 辛い　例 この料理はちょっと辛い。
4 かゆい　例 背中がかゆい。

21 正答 1

□ **むっとする**：怒る
例 姉は、店員に母と間違われて、むっとしていた。

他の選択肢
2 さっと
　例 娘はその本をさっと隠した。（すばやく quickly／快速地／재빨리）
3 ほっと（する）
　例 財布が見つかって、ほっとした。（安心した）
4 さっさと
　例 さっさと帰ろう。（迷ったり、ほかのことをしたりしないで）

22 正答 3

□ **（面倒を）見る**：世話をする。
例 子供のころ、祖母に面倒を見てもらっていた。

他の選択肢
1 持つ　例 責任を持つ
2 やる　例 仕事をやる／犬にえさをやる
4 する　例 連絡をする

解答・解説

23 正答 2

□ **無責任(な)**:責任を感じない。
無〜:〜がないこと。
例 政治に無関心な若者／これは事故とは無関係だ。／無意識に鍵をかけた。(I locked unconsciously.／无意识地锁上了。／무의식적으로 열쇠를 잠갔다.)

他の選択肢
1 **不〜**:〜でない、〜しない
  例 不幸(な)、不親切(な)、不参加
3 **非〜**:〜に当たらない
  例 非常識(な)、非科学的(な)
4 **未〜**:まだ〜の段階ではない
  例 未完成、未使用、未経験

24 正答 3

□ **感想**:何かを見たりしたりしたあとに、思ったことや感じたこと。
例 旅行の感想を聞いてみた。

他の選択肢
1 **感謝(する)**
  例 日頃の感謝の気持ちを伝えた。
2 **感情**
  例 あの人は感情がすぐ顔に出る。
4 **感心(する)**
  例 彼女の努力には感心する。(I'm impressed by her effort.／佩服她的努力。／그녀의 노력은 감탄스럽다.)

25 正答 1

□ **勝手(な)**:selfish／随便的、任性的／제 멋대로인
例 勝手に人の物を使わないでほしい。

他の選択肢
2 **上手(な)**
  例 彼女は料理が上手だ。
3 **下手(な)**
  例 彼は歌が下手だ。
4 **相手**
  例 電話の相手、結婚相手、相談相手

問題4

26 正答 3

□ **暗記(する)**:(言葉や数字などを、見ないでも言えるように)覚える。
例 子供のころ、この詩を暗記させられた。

27 正答 2

□ **プラス(する)**:足すこと。英plus
例 この金額に税金がプラスされる。

28 正答 3

□ **診察(する)**:医者に診てもらうこと。
例 診察時間

29 正答 1

□ **曖昧(な)**:はっきりしていない。
例 曖昧な表現

30 正答 2

□ **考え直す**:もう一度考える。
例 大学を辞めようと思ったが、考え直して続けることにした。

問題5

31 正答 4

□ **整理(する)**：arrangement／整理／정리
例 本だなを整理して、いらない本を捨てた。

他の選択肢 1・2・3 整える、などが適当。

32 正答 2

□ **行う**：do／进行／실시하다
例 10時から会議を行う。

他の選択肢 1・3・4 行く、などが適当。

33 正答 4

□ **アクセス(する)**：目的とする場所・もの・情報に近づくこと。英 access
例 ここからはインターネットにアクセスできない。

他の選択肢 1 寄った、2 報告、3 連絡、などが適当。

34 正答 1

□ **不満**：dissatisfaction／不满／불만
例 会社のやり方に不満がある。

他の選択肢 2 足りない、3 満席じゃない、4 いっぱいじゃない、などが適当。

35 正答 3

□ **避ける**：to avoid／避免／피하다
例 渋滞を避けて、別の道で行った。

他の選択肢 1 移る、2 ゆずる(yield／谦让／양보하다)、4 すれ違う(pass each other／错过、交错／엇갈리다)、などが適当。

言語知識（文法）・読解

文法

問題1

1 正答4

□ ～を通じて
例 彼女とは先生を通じて知り合った。（＝先生の紹介で（through～／通過～／～을 통해）

他の選択肢
1 日本では車は右側を通ります。
2 公園を通って行くと近いです。
3 祖母は週に２回、教室に通って、パソコンを覚えた。

2 正答3

□ ～にすぎない
例 古いと言っても50年ぐらい前のものにすぎない。

他の選択肢
1 風が強くて、傘が飛ばされそうになるぐらいだった。（＝ほどの強さだった）
2 事故は警察を通じて知らされた。（I learned about the accident through the police. ／通過警察那里得知了事故的发生。／사고는 경찰을 통해 알았다.）
4 学生にとって就職は大きな問題だ。

3 正答2

□ ～べきだ
例 学生なら、もっと勉強すべきだ。（＝勉強するのが当然だ）

他の選択肢
1 歯が痛くて噛めないから、柔らかいものを食べるよりほかない。（＝食べる以外に方法がない）
3 歯は痛いが、何も食べられないわけではない。
4 会社を休みたいときは、この書類を出すことになっている。（＝出すという決まりだ）

4 正答1

□ ～に関して
例 法律に関して専門的な勉強をしたことはない。（＝法律について）

他の選択肢
2 皆の予想に反して、彼は１位になった。（＝予想と反対に）
3 この調査によれば、今年の夏の暑さは過去最高だったそうだ。（＝調査では）
4 医学の進歩によって、がんも治るようになってきている。（＝で）

5 正答4

□ ～に対して
例 将来に対して、少し不安がある。

他の選択肢
1 子供にとって一番必要なのは親の愛情だ。
2 去年と違って今年の冬は寒い。
3 妹は、帰ってくると、疲れたと言ってすぐに寝てしまった。

模擬試験 第3回 解答・解説

6 正答 4

□ ～出たばかり
例 妻は今買い物に出たばかりで、しばらく戻って来ません。(＝出てから時間がたっていない状況)

他の選択肢
1 ホテルを出てから、しばらく町を見学した。
2 家を出たとたん、雨が降ってきた。(＝家を出たらすぐ)
3 社会に出てはじめて仕事の辛さがわかった。

7 正答 1

□ ～にわたって
例 大会は、10日間にわたって行われる。(＝10日間を範囲として)

他の選択肢
2 雨が降っているあいだは喫茶店にいよう。
3 雨が降らないうちに帰ろう。(＝あいだに)
4 座席に座る際に番号をご確認ください。(＝ときに)

8 正答 3

□ うかがいたい
例 3時頃お部屋にうかがいたいのですが。(＝行きたい)

他の選択肢
2 ご両親にお目にかかりたいのですが。(＝会いたい)
4 差し上げたいものがありますので、ちょっとお待ちください。(＝あげたい)

9 正答 4

□ 帰れ
例 先生「クラブ活動が終わったら、すぐ帰れよ」
生徒「はい、わかりました」

他の選択肢
1 今日はこれで帰ります。
2 もう5時だから帰りましょう。
3 熱のある子どもは、すぐ家に帰らせます。

10 正答 3

□ ～際に
例 ドアが閉まる際に手をはさまれないように気をつけてください。

他の選択肢
1 風が吹き始め、次第に空が暗くなってきた。(＝だんだんと)
2 説明書に書いてある通りに組み立てた。(＝そのように)
4 講演の最中に、隣りの人が携帯で話し始めた。(＝ちょうどそのときに)

11 正答 3

□ ～しかない
例 停電で何もできないから、寝るしかない。(＝以外何もできない)

他の選択肢
1 田中さんは風邪をひいているみたいだ。(＝ようだ)
2 夕飯は僕が作ることになっている。(＝と決まっている)
4 今日は大雪になる恐れがある。(＝かもしれない／可能性がある)

12 正答 2

□ ～つもりだった
例 夕飯はカレーにするつもりだったんだけど、買い物に行けなかったから、ラーメンね。

他の選択肢
1 今まで冬にこんなに雨が降ることはなかった。

3 彼は忙しいに違いなかったが、会を欠席するとは思わなかった。（＝きっと忙しかっただろう）
4 優しい彼が、そんなことを言うわけがなかった。（＝言うはずなかった）

13 正答3

□ ～てしょうがない
例 みんなの前で失敗して、恥ずかしくてしょうがない。（＝とても恥ずかしい）

問題2

14 正答2

このゲーム ₁ほど ₃おもしろい ₂遊びは ₄ない と思います。
⇒【[〈このゲームほどおもしろい〉もの]はない】と思います。

15 正答3

引っ越しの日を ₂言って ₄くれれば ₃手伝いに ₁行った のに。
⇒【[〈引っ越し〉の日]を言ってくれれば[〈手伝いに〉行った]】のに。

16 正答1

お金を ₂払って ₃からでないと ₁品物を ₄送って くれないそうだ。
⇒【[〈お金〉を払ってからでない]と[〈品物〉を送ってくれない]】そうだ。

17 正答2

この窓、₄いくら ₃拭いても ₂ちっとも ₁きれいに ならない。
⇒〈この窓、〉〈いくら拭いても〉〈ちっとも〉きれいにならない。

18 正答2

この辺りは、景色が美しい ₃だけでなく ₄多くの野生動物が ₂見られる ₁ことでも 有名だ。
⇒ この辺りは、【[〈景色が美しいだけでなく〉〈多くの野生動物が見られること〉]でも】有名だ。

問題3

19 正答2

「生活で使われる」物の例を示すところ。例を示すときの表現が入る。

他の選択肢
1例 自然がつくった物であって、人間がつくった物ではない。
3例 紙で作った物のように軽かった。
4例 うちの子はまだ小さいから、ときどき物に対して話しかけている。

20 正答1

前の文の「消えてしまったもの」を指す語が入る。

他の選択肢
2例 子「あの大きい星、なんていう星？」
母「あれは＊金星よ」　＊金星：Venus／金星／금성
3例 すみません、あなたの前にあるその資料、ちょっと取ってください。
4例 A「駅前のカフェで話そうか」
B「あの店のコーヒー、まずいから、別のところにしようよ」

21 正答1

「（レコードについての）説明を加える表現」が入る。

模擬試験 第3回 解答・解説

他の選択肢
2 例 彼は子どものころ、アメリカに住んでいたんです。だから、英語が話せるんです。
3 例 今朝起きたら雪が積もっていた。それで、長靴をはいて出かけた。
4 例 5万円借りてすでに3万円返した。つまり、借金は2万円だ。

22 正答2

前の文の「『レコード』という言葉はない」を受ける内容のものが入る→「レコードは入っていない」ことを表す表現。

他の選択肢
1 例 棚にはレコードだけでなく、本も置いてあった。
3 例 棚にはレコードといっしょに本も並べてあった。
4 例 作品を表す場合は、レコードとは言わないでアルバムと言う。

23 正答1

狭い部屋で生活する筆者にとって、小さいCDはどうなのか。CDに対する見方が述べられている表現が入る。

他の選択肢
2 例 給料が上がっても、仕事が増えるのではありがたいわけがない。
3 例 彼の歌を聞いたが、あまり気持ちをこめている感じではなかった。
4 例 先生には、生徒全員の気持ちがこもった歌をプレゼントしたい。

読解

問題4（短文）

（1）ベッドを譲ります

24　正答1

「譲る」がキーワード。この文章を書いた人は安く売りたいと思っている。

他の選択肢
2→「借りる」という話は本文にない。
3→「配達を無料に」とは書かれていない。
4→「何かがもらえる」とは書かれていない。

ことばと表現
- 希望（する）：（それがほしいと）望むこと。
- 満足（する）：不満がないこと。

（2）スーツケース

25　正答3

「うかがう」がキーワード。新しいものを買って返したほうがいいのか、うかがう（＝聞く）必要がある。また、近いうちにうかがいたい（＝訪問したい）と思っている。

他の選択肢
2→「買って返す」のは、（相手の希望を）聞きに行ったあとのこと。
4→「おみやげ」については何も触れていない。

ことばと表現
- 先日：このあいだ。
- 傷：scratch, wound／伤口／상처
- 申し訳ありません：ていねいに謝るときの言葉。

（3）「子どもの携帯電話」

26　正答2

最後の一文がポイント→「どんな変化が起きているのか（＝どんな影響を与えているか）」「親は日頃から注意をして（＝常に関心を持って）おかなければならない」。

他の選択肢
1、3→「インターネット」「機能の数」について書かれていない。
4→「子どもが友達とどうするか」について、特に意見は述べていない。

ことばと表現
- なんとなく：特に理由や意味はなく。
- 共働き：夫婦両方が働いている家庭。
- きっかけ：trigger, start, motivator／以～为契机／계기
- 犯罪：crime／犯罪／범죄
- 日頃から：いつも
- 影響：influence／影响／영향
- 機能：function／功能／기능

（4）公共タクシー

27　正答4

「タクシー会社」については何も触れていない。

他の選択肢
1、2→それぞれ3、6行目に書かれている。
3→「登録さえしておけば…利用でき」とある。

ことばと表現
- 公共：public／公共的／공공
- 地域：community, area／地域／지역
- 高齢者：年をとった人。お年寄り。
- 移動（する）：ある場所から他の場所へ移ること。
- △ 受診（する）：医者にみてもらうこと。

模擬試験 第3回 解答・解説

- □ 自宅：自分の家。
- △ 登録(する)：registration ／登录／등록

問題5 (中文)

(1) 朝読

28 正答2

4行目「もともとは」「生徒たちが落ち着いて授業が始められるように」に注目。

他の選択肢
1 →「本を読む楽しさ」には触れていない。
3、4 →「たくさん本を読むようになる」「難しい本が読めるようになる」は「今の目的」の例。

29 正答3

生徒同士のけんかについては書かれていない。

他の選択肢
1 → 8行目「本を読むスピードが上がる」と同じ意味。
2 → 8行目「本が読めない子が読めるようになった」と同じ意味。
4 → 10行目「遅刻が減って」と同じ意味。

30 正答2

「朝読のルール：好きな本でよい」は「読みたい本を読む」という意味。

他の選択肢
1 → 朝読のルールに「みんなでやる」とある。
3 →「国の計画」とは書かれていない。
4 →「朝読のルール：ただ読むだけ」なので「感想を話す」は×。

ことばと表現
- □ 現在：今。
- □ もともと：はじめは。
- □ 遅刻(する)：決められた時間に遅れること。
- □ 欠席(する)：授業などを休むこと。
- □ 落ち着く：to calm down ／镇静、沉着／가라앉다, 정착하다
- □ 指示(する)：direction, instruction ／指示／지시
- □ 効果：effect ／效果／효과
- □ 態度：attitude ／态度／태도

(2) 自転車の盗難

31 正答3

「被害にあった多くの自転車が」のあとの部分に注目。

他の選択肢
1、4 →「鍵がこわれていた」「鍵が1つ」などは書かれていない。
2 →「こわされて盗まれることもある」と書いてあるが、一番多いことではない。

32 正答3

「物を置いたまま」「〜から離れる」に注目。

他の選択肢
1 →「図書館や教室」では範囲が広すぎる。
2、4 →「そこ」は「物を置いた場所」を指す。「物」も「こと」も場所ではない。

33 正答3

「盗まれて困るような物」については述べられていない。

他の選択肢
1、2、4 → 9〜12行目に書かれている。

ことばと表現
- □ 事件：incident ／事件／사건
- □ 被害：damage ／受害／피해
- □ 離れる：to depart, to move away ／离开／떨어지다
- □ 短時間：短い時間。
- □ 確認(する)：confirmation ／确认／확인

解答・解説

問題6（長文）

コンビニ

34 正答4

第1段落の「いろいろなサービスもある」のあとの部分に注目。

1→「ATM でお金をおろす」と合わない。
2→本文には書かれていない。
3→「写真をプリントする」と合わない。

35 正答2

「その理由」の前の文「X（の）は Y からだ」の X に注目。「これほど人々に広く利用されている」（X）の「これ」が指す前の文にも注目。

他の選択肢

1、3、4→「これほど人々に広く利用され」の「広く」は「一人暮らしの若者…あらゆる人」を受けたもの。2以外は当たらない。

36 正答1

「こんな答え」のあとの文に注目。「一番大切にしているのは…行動すること」がヒント。

他の選択肢

2→「自分で考えて行動すること」と「客のことを考えて行動すること」は別。
3、4→意見や考えとして、特に述べていない。

37 正答3

第2段落の「（人々に広く利用されている）その理由は便利さだけか」という部分と、第3段落の「一番大切にしているのは…」という部分に注目。

他の選択肢

1→「便利さ」だけが大切ではないという考え。
2、4→このようなことは書かれていない。

ことばと表現

□ 日々：毎日。
□ 配達（する）：配り、届けること。
△ 今や：今では。
□ 一人暮らし：一人で住むこと。
□ 若者：若い人。
□ 老人：年を取っている人。
△ 塾：小学生や中学生などが、学校以外で勉強をしに行くところ。
□ 経営（する）：management／経営／경영
□ 行動（する）：action／行动／행동
□ スタッフ：ある仕事を担当する人（たち）
  例 受付スタッフ、荷物を運ぶスタッフ
□ 伝わる：相手に届いて理解される。

問題7（情報検索）

「スポーツ施設の利用」

38 正答3

第1段落の「予約する前に」のあとの文と「予約方法」を見る。

他の選択肢

1、2→利用者登録は受付でしかできない。
4→インターネットで支払いはできない。

39 正答2

「利用料金」に注目。日曜日は1時間400円なので、2時間予約したときに払ったのは800円。3時間使うことにしたので、不足分は400円。

他の選択肢

1→平日3時間使うときの不足分。
3→平日3時間使うときの料金（350円×3）。
4→日曜日3時間使うときの料金（400円×3）。

ことばと表現

△ 施設：ある目的のために利用されるもの。

模擬試験 第3回 解答・解説

- □ 体育館：運動をするための建物。
- □ 登録（する）：registration ／登录／등록
- □ 直接：directly ／直接／직접
- □ 申し込み：申し込むこと。
- □ 窓口：〈特に役所や銀行などで〉書類やお金を受け取ったり渡したりするところ。
- □ 変更（する）：（時間や場所、方法など）決まっていたことを変えること。
- △ 取り消し：取り消すこと。
- △ 申し出る：自分から言って出ること。
- □ 手続き：procedure ／手续／수속
- □ 不足（する）：足りないこと。
- □ ～分：～のと同じ量・程度。～に合う量。
- □ ～過ぎる：too ～／过于～／～너무～하다
- □ お受け取りください：受け取ってください。

聴 解

問題1（課題理解）

れい　正答1　03 CD3

会社で、女の人と男の人が話しています。女の人は、このあと、まず何をしなければなりませんか。

F：ABC広告の川島部長が、そろそろいらっしゃる時間ですね。
M：うん。資料のコピーはしてくれた？
F：はい、こちらです。6部で足りますか。
M：そうだね、ありがとう。いらしたら、2階の会議室に案内してくれる？ぼくはもう一つ資料を持って行くから、その間にお茶を出しておいて。
F：わかりました。あ、エアコンもつけておきますね。
M：ああ、それはさっき田中さんがやってくれたみたい。じゃ、よろしくね。
F：はい。

女の人は、このあと、まず何をしなければなりませんか。

1ばん　正答3　04 CD3

女の人2人が話しています。どのお皿を使いますか。

F1：さくら、お皿はどれを使えばいいの？
F2：スープは取っ手が付いてるやつ。
F1：え、どれ？何色？
F2：白で、取っ手が2つ付いてるのがあるでしょ。
F1：ああ、これね。サラダは？
F2：サラダは…そうねえ…じゃあ、ガラスの丸いの。
F1：これか…。あと、パスタ。
F2：パスタは白い四角いのにして。
F1：これ？ちょっと大きすぎない？このトマトの絵がかいてあるお皿のほうがかわいいじゃない。
F2：それだと、数が足りないのよ。
F1：そうなんだ。わかった。

どのお皿を使いますか。

ことばと表現
□ 取っ手：handle, knob ／把手／손잡이

2ばん　正答4　05 CD3

学校で、先生が案内をしています。学生はいつまでに行かなければなりませんか。

M：えー、今日の進学・就職説明会についてですが、どちらか一つのみの参加はできません。進学説明会は午後1時からおよそ1時間の予定です。続いて、10分間の休憩のあと、就職説明会となります。最初に受付がありますので、15分前には来るようにしてください。場所は301教室です。

学生はいつまでに行かなければなりませんか。

説明会は午後1時からで、その15分前に行く。したがって、答えは4。

ことばと表現
□ 進学（する）：学校を卒業したあと、さらに上の学校に行くこと。

3ばん　正答3　06 CD3

会社で、女の人と男の人が話しています。女の人は、このあと、まず何をしなければなりませんか。

F：課長、この企画書、見てもらえませんか。
M：ああ、いいよ。…うん、大体いいと思う。
F：他社の製品と比べた部分については、どうですか。

模擬試験 第3回 解答・解説

M：わかりやすくていいと思うよ。グラフも見やすいし。…あ、でも、このスケジュールはちょっと難しいと思うなあ。もう少し余裕があったほうがいい。
F：わかりました、もう一度考えます。
M：そこを修正して…そうだなあ、あと、田中さんにも見てもらったほうがいいな。彼女はこの分野、詳しいから。
F：わかりました。
M：で、そのあとにもう一度見せてくれる？
F：はい。

女の人は、このあと、まず何をしなければなりませんか。

ことばと表現

- 企画書：project proposal／企画书／기획
- 他社：ほかの会社。
- グラフ：graph／图表／그래프
- 余裕がある：ぎりぎりでなく、あまりなどがあること。
- 分野：field, area／領域／분야

4ばん　正答4　07 CD3

大学で、女の学生と男の学生が話しています。女の学生はこのあとまず、何をしますか。

F：困ったなあ。今電話あったんだけど、山本さん、インフルエンザだって。
M：えっ、うそ!? 彼女、今日の司会じゃない。
F：そうなのよ。私が代わりにしてもいいんだけど、受付だし…。
M：そうだね。じゃあ、ぼくがやろうか。
F：鈴木くんは無理だよ。やることいっぱいあるじゃない。ちょっとほかのメンバーに聞いてみるよ。
M：でもさあ、やっぱり、司会は今日のイベントのことをよくわかってる人のほうがいいよ。受付を別の人にやってもらおうよ。誰かいるでしょ、友達とか後輩とか。
F：そうね、そうしようか。

女の学生はこのあとまず、何をしますか。

ことばと表現

- インフルエンザ：influenza／流行感冒／인플루엔자
- 司会：host, MC／主持／사회
- メンバー：そのグループの仲間。

5ばん　正答3　08 CD3

女の人と男の人が話しています。女の人は何を着ますか。

F：ねえ、友達の結婚式に着ていく服、どっちがいいと思う？
M：あれ？ 着物を着るんじゃなかったの？
F：それは姉の結婚式。今言ってるのは友達の。来週なのよ。
M：そうなんだ。そうだねえ…僕はこっちの白いドレスのほうが好きだな。
F：えっ、白に見える？ そうかあ。じゃあ、だめだな。私もこれ、好きなんだけど、花嫁さんが白を着るからね。
M：なるほど。でも、こっちの黒はちょっと地味かもしれないね。上品で、いいデザインなんだけど。
F：うーん、新しいの買ったほうがいいのかな…。この前、花柄のかわいいドレスを見つけたんだよね、高かったけど。
M：でも、ちょっと待って。これに花か何か胸につければ？ やってる人、いるよね。すごくいいと思う。
F：あ、そういうやり方があったね！ うん、そうしよう！

女の人は何を着ますか。

ことばと表現

- 地味（な）：simple, modest／朴素／수수한
- 上品（な）：refined, elegant／高雅／고상한
- 花柄：花のもよう。

6ばん　正答4　[09 CD3]

電話で、女の人と男の人が話しています。男の人は、どうしますか。

F：はい、ふじ文化会館です。
M：あのう、今度、大会議室をお借りしたいんですが…。今月の15日の朝10時から夕方5時までです。
F：日曜日ですね。…ああ、その日は1時からしか空いてないですね。中会議室なら10時からでも大丈夫ですが。こちらは30人くらいなら入ります。
M：そうですか。でも、40人は来るからなあ…。
F：中会議室は今のところ、2部屋空いてます。
M：分けられないんですよ。うーん、困ったなあ…。
F：前の日でしたら、大会議室も一日空いてますけど…。
M：その日じゃないとだめなんです。…そしたら、午後から移動というのでもいいですか。
F：それは結構ですよ。
M：じゃあ、それでお願いします。

男の人は、どうしますか。

ことばと表現

☐ 移動（する）：動く、移る。
☐ 結構です：いい／かまわない／問題ない／大丈夫です。

問題2（ポイント理解）

れい　正答1　[11 CD3]

女の学生と男の学生が電話で話しています。男の学生は、どうして家を出るのが遅くなりましたか。

F：ちょっと早めに着いたから、先に店に行ってるね。田中君は今どこ？
M：今家を出たところ。30分くらい待って。
F：えー、遅いよ。お昼食べる時間、なくなっちゃうじゃない。

M：ごめん、実は朝から体がだるくて…。ちょっと熱があるみたいで…。
F：そうなの？　じゃあ、今日のセミナーはやめといたら？
M：…大丈夫だよ。
F：同じようなのを定期的にやってるから、また行けばいいよ。それより家で寝てたほうがいいって。
M：うーん…わかった。

男の学生は、どうして家を出るのが遅くなりましたか。

ことばと表現

☐ セミナー：seminar／讨论课／세미나
☐ 定期的に：物事が、同じ期間を置いてくり返し行われること。

1ばん　正答1　[12 CD3]

女の学生と男の学生が話しています。女の学生はどうしてアルバイトをしたいと言っていますか。

F：ねえ、何かいいアルバイトないかなあ？
M：佐藤さん、バイトするの？
F：うん、ちょっとね。してみようと思って。
M：へー、バイトとか、しないと思ってたよ。何かほしいものでもあるの？　それか、留学したいとか？
F：そういうんじゃないの。実は、4年生になったら、一人暮らしをしてみたいと思ってるの。
M：そうなんだ。どうして？
F：家で家族と住んでると、料理も洗濯も、みんな親がやってくれるじゃない？　いつまでも親に甘えちゃいけないなあって思って。
M：なるほどね。じゃあ、何かいいのがあったら教えるよ。

女の学生はどうしてアルバイトをしたいと言っていますか。

ことばと表現

☐ 甘える：to depend on／宠爱、溺爱／응석부리다

模擬試験 第3回 解答・解説

2ばん　正答4　[13 CD3]

男の学生と女の先生が話しています。女の先生はどうして教師になろうと思いましたか。

M：田中先生は、昔から教師になりたかったんですか。
F：いいえ。子どものころは洋服屋さんになりたかった。かわいい服とかドレスとか、いろんな服を着てみたいって思ってたから。
M：そうなんですか。ちょっと意外です。
F：でしょう。おしゃれが好きだったから、そのうち自分でデザインしたいって思うようになって。でも高校生の時、気がついたら、教師になろうって思うようになってた。
M：いい先生と出会ったんですか。
F：ううん、その逆。疑問とか悩みとかを話せる先生が全然いなくて…。だから、自分がなろうと思ったの。
M：そういうパターンもあるんですね。

女の先生はどうして教師になろうと思いましたか。

「私の疑問とか悩みとかを話せる先生が全然いなくて」「自分がなろうと思った」とあるので、答えは4。

ことばと表現
- 疑問：質問。不思議に思ったことや、わからないこと。
- 悩み：困っていること。
- パターン：pattern／类型／패턴

3ばん　正答4　[14 CD3]

留学生が話しています。この留学生は、特に何がうれしいと言っていますか。

F：こんにちは。私はリンといいます。台湾の大学で日本語を勉強しました。日本に来る前は、不安もたくさんありました。でも、大家さんが優しくて、いつも生活のことをいろいろ教えてくれます。日本語は難しいですが、少しずつ上達しています。いいアルバイトも見つかりました。そして、日本人の友達がたくさんできました。友達と一緒に買い物や食事をするとき、日本に来てよかったと一番感じます。

この留学生は、特に何がうれしいと言っていますか。

ことばと表現
- 上達（する）：上手になること。

4ばん　正答2　[15 CD3]

旅行会社で、男の人が係の人に聞いています。男の人は、いつ旅行に行きますか。

M：来月、京都に2泊3日で行きたいんですが…。
F：3月ですね。時期はいつごろをご希望ですか。
M：まだ、はっきりとは…。
F：後半はかなり混みますよ。学生さんが春休みに入りますから。料金も1万円ほど高くなります。
M：そうですか。だったら、前半にします。じゃあ、このあたりはどうですか。泊まりが金、土で。
F：そうですね、後半に比べるとだいぶ安くなります。2泊3日だと、だいたい3万から3万3千円くらいです。平日で2泊だと、さらに5千円くらい安くなりますが…。
M：そんなに安くなるんだ。やっぱり土日に集中するんですね。でも、平日はちょっと無理です。いいですよ、この日にちで。あとは、これでホテルを選びますから。

男の人は、いつ旅行に行きますか。

「前半にします」「泊まりが金、土」でとあるので、答えは2。

ことばと表現
- 時期：だいたいの日にち、期間。
- 希望（する）：（それがいいと）望むこと。
- 後半：後のほう。
- 前半：前のほう。
- 集中（する）：そこにたくさんの物や人などが集まる。

5ばん　正答2 　16 CD3

女の人と男の人が話しています。女の人は、どうして会社をやめようと思っていますか。

F：田中君、久しぶりね。
M：そうだね。仕事には慣れた？
F：…実は、今の会社、やめようかと思ってるの。
M：え、なんで？　大学のころ、あんなに行きたがってたところじゃない？　仕事、大変なの？
F：ううん、それはない。今のところ、誰かの手伝いばかりだし。
M：まだ1年目でしょ？　そのうち、いろいろ任されるようになるよ。
F：まあね。ただ…このまま働いてても、意味がない気がして。
M：どうして？
F：イメージしていた仕事とだいぶ違ってたのよ。だから、自分が本当にやりたいことをやるには、転職するしかないなって思って。
M：そう…。でも、もうちょっと考えてみたら？
F：うーん…。

女の人は、どうして会社をやめようと思っていますか。

ことばと表現

□ 任せる：to entrust／任由／맡기다
□ 転職（する）：今の会社や仕事をやめて、違う仕事にする。

6ばん　正答1 　17 CD3

男の学生と女の学生が話しています。女の学生はどうして早起きをしていますか。

M：山下さん、最近、来るの、早いね。
F：うん。早く起きるようにしたから、その影響ね。毎朝5時に起きてるよ。
M：早いねえ。何かしてるの？
F：勉強よ。今までは夜にやってたんだけど、いろいろな用事で時間が変わるし、寝るのも遅くなるし、あんまりよくないなあと思って。
M：なるほどね。

F：だから、今は寝る前は読書。そのほうがすぐ眠れるし。
M：へー。…じゃあ、最近、お弁当を持ってくるのも、早起きしてるから？
F：そう。時間に余裕があるから、自分で作るようにした。体にいいからね。あ、そうそう、休みの日はジョギングもしてる。すごく気持ちいいよ。
M：へー、いいことばかりだね。

女の学生はどうして早起きをしていますか。

ことばと表現

□ 影響（する）：influence／影响／영향
□ 余裕がある：（大きさや量、時間などについて）必要な分以上の余りがある。

問題3（概要理解）

れい　正答2 　20 CD3

留守番電話のメッセージを聞いています。

F：田中です。先日は森さんのお祝いの会に誘っていただき、ありがとうございました。私もぜひ参加したいと思っていたのですが、昨日から娘が熱を出してしまいました。夫も明日は仕事ですし、今回はちょっと行けそうにありません。皆さんとも久しぶりで、お会いできるのを楽しみにしていたので、とても残念です。森さんには、また私からも電話します。本当にすみません。

田中さんが一番言いたいことは何ですか。
1 娘が熱を出している
2 お祝いの会には参加できない
3 みんなに会うのが楽しみだ
4 森さんに電話しておく

模擬試験 第3回 解答・解説

1ばん　正答 3　(21 CD3)

女の人と男の人が話しています。

F：ねえ、昨日のドラマ、見た？
M：見たよ。最終回だったね。
F：うん。すごくよかったよね、特に最後が。感動して、ちょっと泣いちゃった。
M：そう？　よくあるパターンじゃない？　最後は別れた恋人を選ぶっていう。僕はもうちょっと違う終わり方を期待してたけど。
F：えー？　どんな？
M：主人公が事故で死んじゃうとか。
F：そんなの悲しすぎるよ。やっぱり最後はハッピーに終わらないと。
M：そうかなあ。僕は予想もできないような終わり方のほうが好きだな。それに、現実はそんなにうまくいかないし。
F：いいのよ、ドラマなんだから。自分では経験できないような幸せを感じてみたいんじゃない。
M：ふーん、そんなもんかなあ。

女の人はどんなドラマがいいと言っていますか。
1　とても感動するドラマ
2　結果が予想できるドラマ
3　最後に幸せになるドラマ
4　現実の世界と違うドラマ

4→「現実の世界と違う」だけでは不十分

ことばと表現

△ 最終回：ドラマの最後の回。
□ 感動（する）：deep impression／感動／감동
□ 期待（する）：楽しみにして待つこと。
△ 主人公：（小説やドラマなどの）話の中心の人。
□ 予想（する）：expectation／预想／예상
□ 現実：reality／现实／현실

2ばん　正答 2　(22 CD3)

留学生の男の学生と日本人の女の学生が話しています。

M：あ、田中さん、ちょっと待ってください。
F：何？
M：あのう、このはがき、何て書いてあるんですか。
F：見せて。ああ、督促状ね。
M：トクソクジョウ？　何ですか。
F：早く返してくださいっていうはがき。1か月前に借りた本をまだ返してないんでしょ？
M：あ、そうだった！
F：1週間以内に返さないと、もう貸し出しができなくなるって。
M：えっ、それは困ります。
F：早く返したほうがいいよ。
M：わかりました。…でも、どこに置いたかなあ。先生に借りたのと一緒に置いたのかなあ。
F：そうかもね。じゃあ、忘れずにね。

二人は何を見て話していますか。
1　銀行からのはがき
2　図書館からのはがき
3　先生からのはがき
4　市役所からのはがき

ことばと表現

△ 督促状：「借りたものを早く返すように求める」ことが書かれたもの。

3ばん　正答 2　(23 CD3)

テレビで、男の人が話しています。

M：皆さんは朝ごはんをきちんと食べていますか。忙しいとか、眠いとか、そんな理由で、朝ごはんを食べていない人は多いと思います。しかし、朝ごはんは一日のエネルギーを体に入れる、大切なものです。朝ごはんを食べないと、ずっと眠かったり、勉強や仕事になかなか集中できなくなったりします。朝、早めに起きて、栄養のある朝ごはんをゆっくり食べるのが一番いいですが、それが無理なら、簡単なものでもいいです。少しでも何か食べることで、勉強や仕事がよくできるようになりますよ。

男の人は何について話していますか

1 朝ごはんの食べ方
2 朝ごはんの大切さ
3 朝ごはんを食べない理由
4 朝ごはんを食べる人の少なさ

ことばと表現

□ きちんと：ちゃんと。
□ エネルギー：energy ／能量／에너지
□ 集中（する）：一つのことに気持ちを集めること。
□ 早めに：少し早く。
□ 栄養：nutrition ／营养／영양

問題4（発話表現）

れい　正答1　25 CD3

道がわからないので、人に聞きます。何と言いますか。

F：1 東京駅に行きたいんですが。
　　2 東京駅に行ってくれませんか。
　　3 東京駅に行ってもいいですか。

1ばん　正答1　26 CD3

レストランで、注文していないものが運ばれてきました。何と言いますか。

M：1 これ、頼んでないんですが。
　　2 これ、頼まなかったかもしれません。
　　3 これ、頼んだことがありません。

2ばん　正答2　27 CD3

病院に入院している友達のお見舞いに行きました。帰る時、何と言いますか。

F：1 お疲れ様。
　　2 お大事に。
　　3 お元気で。

1→仕事から帰るときに使う
3→これから長いあいだ会わないときに使う

3ばん　正答2　28 CD3

レポートを書くために、資料を見たいです。先生に何と言いますか。

M：1 資料を見ていただけませんか。
　　2 資料を見せていただけませんか。
　　3 資料を見せてもいいですか。

4ばん　正答3　29 CD3

店で、ほしいと思った服があります。買う前に一度着たいです。何と言いますか。

F：1 すみません、これ、着るといいですか。
　　2 すみません、これ、着させていいですか。
　　3 すみません、これ、着てみてもいいですか。

3→「〜てみる」（「試す」という意味）＋「〜てもいい」（「許可する」という意味）の形。

問題5（即時応答）

れい　正答2　31 CD3

F：あのう、道がよくわからないので、一緒に行ってほしいんですが。

M：1 そうですね、どうぞ。
　　2 ええ、いいですよ。
　　3 はい、そうしてください。

1ばん　正答2　32 CD3

M：日本に来てまだ1年なのに、日本語がお上手ですね。

F：1 ええ、ちょっと上手ですね。
　　2 そんなことありませんよ。
　　3 ええ、1年しかいませんので。

模擬試験 第3回 解答・解説

2ばん　正答1　[33 CD3]

F：すみません、エアコンをもうちょっと強くしていただけませんか。

M：1　あ、まだ暑かったですか。すみません。
　　2　じゃ、消しましょうか。
　　3　いいですよ。お願いします。

3→「いただけませんか」はお願いするとき使うので、「お願いします」は合わない。

3ばん　正答1　[34 CD3]

F：山田さんが結婚してるって知ってました？

M：1　ええ、子どももいるそうですね。
　　2　ええ、来月、結婚するんですよね。
　　3　うーん、たぶんしてないと思います。

3→山田さんが結婚しているのは本当のことなので、合わない。

4ばん　正答3　[35 CD3]

F：また時計止まったの？　新しいのを買ったほうがいいんじゃない？

M：1　僕は買ったほうがいいと思う。
　　2　時計はいらないよ。
　　3　修理すれば、まだ使えるよ。

5ばん　正答2　[36 CD3]

M：申し訳ありません、田中はただいま席を外しておりますが。

F：1　ええ、それで結構です。
　　2　そうですか。じゃ、またお電話させていただきます。
　　3　えっ、辞められたんですか！　それは残念です。

3→「席を外す」は今いないという意味なので、合わない

6ばん　正答2　[37 CD3]

F：金曜日のパーティーのチラシ、余ってたら1枚くれない？

M：1　もちろん、あげないよ。
　　2　いいよ。はい、これ。
　　3　もうもらったよ。

7ばん　正答1　[38 CD3]

F：残っても捨てるだけだから、全部食べちゃって。

M：1　うん。じゃあ、食べちゃおう。
　　2　え？　全部食べたの？
　　3　食べちゃったら、残らないよ。

ことばと表現

□食べちゃって：食べてしまってください
□食べちゃおう：食べてしまおう

8ばん　正答1　[39 CD3]

M：ここで待たせていただいてもよろしいですか。

F：1　ええ、どうぞ。
　　2　はい、待たせてもいいですよ。
　　3　どうも、お待たせしました。

2→待つのは男の人本人なので、合わない。

9ばん　正答2　[40 CD3]

F：かぎ、しめてくれた？

M：1　うん、しめてあげたよ。
　　2　うん、しめといたよ。
　　3　うん、しめてくれたよ。

1→ふつう、相手に対して「〜してあげた」などとは言わない。例外は「あなたのためにわざわざした」と強調する場合。

合格への直前チェック
試験に出る重要語句・文型リスト

- **文字** ◆ 訓読みに注意したい漢字
- **語彙** ◆ 意味の似ている言葉
- **文法** ◆ 接続詞・「～ない」の形
- **文法** ◆ よく出る基本文型80
- **読解** ◆ 読解問題に出るキーワード
- **聴解** ◆ 聴解問題に出るキーワード

文字 訓読みに注意したい漢字

☐ 遅	おそーい	走るのが遅い
	おくーれる	電車に遅れる
☐ 負	まーける	試合に負ける
	おーう	責任を負う (to take responsibility／负责任／책임을 지다)
☐ 生	いーきる	真面目に生きる
	うーむ	子どもを生む
	うーまれる	赤ちゃんが生まれる
	はーえる	庭に草が生える
☐ 抱	だーく	子供を抱く
	いだーく	希望／夢を抱く
☐ 冷	さーめる	スープが冷める
	さーます	熱を冷ます
	ひーえる	足が冷える
	ひーやす	ビールを冷やす
☐ 届	とどーく	荷物が届く
	とどーける	書類を届ける
☐ 折	おーれる	骨が折れる
	おーる	木の枝を折る
☐ 出	でーる	部屋を出る
	だーす	はがきを出す
☐ 入	はいーる	部屋に入る
	いーれる	かばんに入れる
☐ 平	たいーら	平らな道
	ひらーたい	平たい山

☐ 苦	くるーしい	胸が苦しい
	にがーい	苦い薬
☐ 臭	くさーい	臭いゴミ
	におーい	いやな臭い
☐ 楽	らく	楽な仕事
	たのーしい	楽しい時間
☐ 優	やさーしい	優しい性格
	すぐーれる	優れた人
☐ 辛	からーい	辛い料理
	つらーい	辛い経験
☐ 親	おや	親の意見
	したーしい	親しい友人
☐ 全	まったーく	全くわからない
	すべーて	全て終わった
☐ 腹	(お)なか	お腹が空く
	はら	腹が減る
☐ 空	あーく	席が空く
	そら	青い空
	から	空の箱

語彙 意味の似ている言葉

動詞

- □ 住む
  - 例 学校の寮に住む
    to live in a school dormitory ／住在学校宿舍／학교 기숙사에서 살다
- □ 暮らす
  - 例 一人で暮らす
    to live alone ／独自生活／혼자 살다

- □ 着く
  - 例 駅に着く
    to arrive at a station ／到达车站／역에 도착하다
- □ 届く
  - 例 （荷物が）届く
    be delivered ／送到／도착하다

- □ 学ぶ
  - 例 日本語を学ぶ
    to learn Japanese ／学习日语／일본어를 배우다
- □ 習う
  - 例 ダンスを習う
    to learn how to dance ／学习舞蹈／춤을 배우다
- □ 学習する
  - 例 外国語を学習する
    to learn foreign languages ／学习外语／외국어를 학습하다
- □ 勉強する
  - 例 毎日勉強する
    to study everyday ／每天学习／매일 공부하다

- □ 働く
  - 例 銀行で働く
    to work at a bank ／在银行工作／은행에서 일하다
- □ 勤める
  - 例 銀行に勤める
    to work for a bank ／在银行工作／은행에 근무하다
- □ 勤務する
  - 例 銀行に勤務する
    to work for a bank ／在银行工作／은행에 근무하다

- □ つける
  - 例 服に名札をつける
    to put a name card on clothes ／衣服上別姓名牌／옷에 명찰을 달다
- □ 貼る
  - 例 はがきに切手を貼る
    to put a stamp on a postcard ／明信片上贴邮票／엽서에 우표를 붙이다

- □ 濡れる
  - 例 雨でかばんが濡れた。
    My bag got wet with rain. ／雨把包淋湿了。／비로 가방이 젖었다.
- □ 湿る
  - 例 洗濯物がまだ湿っている。
    The laundry is still a little wet. ／衣服还是湿润的。／빨래가 아직 눅눅하다.

- □ 散る
  - 例 風で花が散ってしまった。
    The flower came down because of the wind. ／风把花吹散了。／바람으로 꽃이 져버렸다.
- □ 枯れる
  - 例 水をやるのを忘れたら、花が枯れてしまった。
    I forgot to give the flower water and it died. ／忘记浇水了，花枯萎了。／물 주는 것을 잊어버렸더니 꽃이 말라 버렸다.

- □ 取り消す
  - 例 予約を取り消す
    to cancel a reservation ／取消预约／예약을 취소하다
- □ キャンセルする
  - 例 注文をキャンセルする
    to cancel an order ／取消订购／주문을 캔슬하다

名詞

- □ 専門
  - 例 先生の専門は国際経済です。
    The professor's specialty is international economics. ／老师的专业是国际经济。／선생님의 전문은 국제 경제입니다.
- □ 専攻
  - 例 大学で経済学を専攻している。
    I'm majoring in economics at my college. ／专业在大学攻读经济学专业。／대학에서 경제학을 전공하고 있다.

試験に出る 重要語句・文型リスト

- ☐ 逆（ぎゃく）
  - 例 逆の方向に行く
    to go in the opposite direction ／逆反、相反相反的方向／역방향으로 가다
- ☐ 反対（はんたい）
  - 例 駅の反対側
    the other side of the station ／相反、倒车站的另一側／역의 반대 측

- ☐ 柄（がら）
  - 例 花柄のスカート
    a skirt with a flower pattern ／花纹的裙子／꽃 모양의 스커트
- ☐ 模様（もよう）
  - 例 ハートの模様が描かれた箱
    a box with heart pattern painted ／画着心形花样的箱子／하트모양이 그려진 상자

形容詞（けいようし）

- ☐ 将来（しょうらい）
  - 例 将来の夢
    a dream for someone's future ／将来的梦想／장래의 꿈
- ☐ 未来（みらい）
  - 例 未来の世界
    a future world ／未来的世界／미래의 세계

- ☐ 厳しい（きび）
  - 例 厳しい指導
    a strict instruction ／严厉的指导／엄격한 지도
- ☐ 怖い（こわ）
  - 例 怖い先生
    an scary teacher ／可怕的老师／무서운 선생님

- ☐ 辛い（つら）
  - 例 辛い別れ
    a painful separation ／痛苦的离别／괴로운 이별
- ☐ 苦しい（くる）
  - 例 苦しい生活
    a difficult life ／穷困的生活／고생스러운 생활

- ☐ 賢い（かしこ）
  - 例 賢い子供
    a smart child ／聪明的孩子／현명한 아이
- ☐ 偉い（えら）
  - 例 どんなに偉い人でも、失敗することはある。
    Even a great person can make mistakes sometimes. ／不管是多伟大的人，也会有失败的时候。／아무리 위대한 사람이어도 실패하는 경우는 있다.

- ☐ 重要な（じゅうよう）
  - 例 重要な書類
    an important document ／重要的资料／중요한 서류
- ☐ 大切な（たいせつ）
  - 例 大切な思い出
    a cherished memory ／珍贵的回忆／소중한 추억

- ☐ 上手な（じょうず）
  - 例 彼女は踊りが上手だ。
    She is good at dancing. ／她擅长跳舞。／그녀는 춤이 능숙하다.
- ☐ 得意な（とくい）
  - 例 得意な科目は何ですか。
    What subject are you good at? ／擅长的科目是什么？／잘하는 과목은 무엇입니까？

副詞（ふくし）

- ☐ いきなり
  - 例 街でいきなり声をかけられた。
    In town, someone suddenly called out to me. ／在街上突然被人叫住。／거리에서 갑자기 (누가) 말을 걸어왔다.
- ☐ 突然（とつぜん）
  - 例 突然、部屋に人が入って来た。
    People came into the room suddenly. ／房间里突然有人进去了。／갑자기 방에 사람이 들어왔다.

- ☐ なるべく
  - 例 なるべく早く来てください。
    Please come as soon as possible. ／请尽量早来。／가능한 한 빨리 와 주세요.
- ☐ できるだけ
  - 例 できるだけ荷物を減らしてください。
    Please decrease your belongings as much as you can. ／请尽量减少货物。／가능한 한 짐을 줄여주세요.

文法

- ☐ **だいたい**
  - 例 話の内容はだいたいわかった。
  - I could mostly understand the content of the story. ／话的内容大体都明白了。／말의 내용은 대강 알았다.

- ☐ **ほとんど**
  - 例 ほとんどの人が携帯電話を持っている。
  - Almost all people have cell phones. ／大多数人都有手机。／거의 모든 사람이 휴대전화를 가지고 있다.

- ☐ **ほぼ**
  - 例 新しいビルは、ほぼ完成したようだ。
  - It seems that the new building was mostly completed. ／新大楼大体好像都完成了。／새 빌딩은 거의 완성된 모양이다.

- ☐ **だいぶ**
  - 例 街の様子がだいぶ変わった。
  - The appearance of the city changed quite a lot. ／街道的样子变化很大。／거리의 모습이 많이 변했다.

- ☐ **ずいぶん**
  - 例 彼女は髪型が変わると、ずいぶん印象が違う。
  - When she changes her hairstyle, it gives a very different impression. ／她的发型一变，印象都不一样。／그녀는 머리 모양이 바뀌면 상당히 인상이 다르다.

- ☐ **かなり**
  - 例 これを言葉で表現するのは、かなり難しい。
  - It is very difficult to express this with words. ／这用语言来表达非常难。／이것을 말로 표현하는 것은 상당히 어렵다.

- ☐ **すごく**
  - 例 朝と夕方は、電車がすごく混む。
  - The trains are very crowded in the mornings and evenings. ／早上和傍晚的电车非常拥挤。／아침과 저녁은 전철이 무척 붐빈다.

- ☐ **わざと**
  - 例 彼は待ち合わせにわざと遅れて来た。
  - He came late for the appointment on purpose. ／他故意在约会时间迟到。／그는 (만날) 약속에 일부러 늦게 왔다.

- ☐ **わざわざ**
  - 例 電話で済むのに、わざわざやって来た。
  - He could just call, but made an effort to come over. ／本来电话就能办完的，还特意来一趟。／전화로 되는데 일부러 왔다.

- ☐ **せっかく**
  - 例 せっかく行ったのに、店が休みだった。
  - I went all the way, but the store was closed. ／特意去了，结果店铺还没开门。／모처럼 갔는데 가게가 휴일이었다.

文法 接続詞・「～ない」の形

接続詞 (conjunction／接续词／접속사)

□ あるいは
または。

例 入院するか、**あるいは**しばらく病院に通うか、どっちかの必要がある。
(You need to either be hospitalized or commute back and forth to the hospital for a while.／是住院,还是来回地跑医院,总是要选择一样。／입원할지 한동안 병원에 다닐지 어느 쪽인가가 필요하다.)

□ しかも
それだけでなく、さらに。

例 駅からたった2分。**しかも**、家賃が安い。
(It takes only two minutes from the station. In addition, the rent is cheap.／离车站只有两分钟。而且,房租便宜。／역에서 불과 2분. 게다가 집세가 싸다.)

□ したがって
だから。

例 調査の結果、安全が確認できませんでした。**したがって**、工事を続けることはできません。
(As the result of our investigation, we could not confirm the safety. Therefore, we can not continue the construction.／调查结果,没能确认安全性。因此,无法继续施工。／조사 결과 안전을 확인할 수 없었습니다. 그래서 공사를 계속할 수 없습니다.)

□ すると
そうしたら。

例 ゆっくりドアを開けてみた。**すると**、中から白い猫が出てきた。
(I opened the door slowly to see what was there. Then, a white cat came out from inside.／慢慢地打开了门。于是,从里面跑出只白猫来。／천천히 문을 열어 보았다. 그러자 안에서 흰 고양이가 나왔다.)

□ そこで
だから。そういうことがあって。

例 交通渋滞は、長年、問題となってきた。**そこで**、市長が新しい提案をした。
(The traffic jam had been a problem for long time. So, the mayor made a new proposal.／交通拥堵常年成为问题。于是,市长提出了新的提案。／차량 정체는 오랫동안 문제가 되어 왔다. 그래서 시장이 새로운 제안을 했다.)

□ その上
それに加えて。さらに。

例 土曜日は朝から雨で、**その上**、風も強かったんです。
(On Saturday, it was raining from the morning and it was very windy as well.／星期六从早上开始就下雨,而且,风还很强。／토요일은 아침부터 비가 오고 게다가 바람도 셌습니다.)

□ それで
それが原因・理由で。

例 一度、体をこわして入院したんです。**それで**、健康に気をつけるようになりました。
(I became sick and was hospitalized once. Because of that, I became careful about my health.／有一次弄坏身体住过院。因此,就开始注意健康了。／한번 아파서 입원했었습니다. 그래서 건강을 주의하게 되었습니다.)

□ それとも
そうではなくて。

例 夕飯にしますか、**それとも**、先にお風呂に入りますか。
(Would you like to eat dinner or take a bath first?／是先吃晚饭呢? 还是先泡澡?／저녁밥을 먹겠습니까, 그렇지 않으면 먼저 목욕을 하겠습니까?)

84

□ それに

それに加えて。さらに。

例 「パーティーには行かなかったの？」「うん、忙しくて。**それに**、知っている人もいなかったから」

("Didn't you go to the party?""No. I was busy. Also, no one I know was there." ／"你不去宴会了吗？""嗯，太忙了。而且，也没认识的人。"／「파티에는 가지 않았니?」「응，바빠서. 게다가 아는 사람이 없었기 때문에」)

□ だが

しかし。※書きことば的。

例 みんながその計画は無理だと言った。**だが**、彼はあきらめなかった。

(Everybody said the plan was impossible. However, he didn't give up. ／大家都说这个计划不可行。但是，他还是没放弃。／모두가 그 계획은 무리하고 했다. 하지만 그는 포기하지 않았다.)

□ ただ

それはそうだが。

例 確かにこのツアーが一番いいと思う。**ただ**、ちょっと値段が高いな。

(I certainly think that this tour is the best. But, the price is a little expensive. ／确实，这个旅行最好。只是，价格有点儿高。／분명 이 투어가 가장 좋을 거야. 단지 조금 가격이 비싸구나.)

□ つまり

言いかえれば。

例 車は1台だけです。**つまり**、5人で1台に乗るということです。

(There is just one car. It means that five people have to ride in one car. ／只有一台车。也就是说，五个人坐一台车。／차는 한 대뿐입니다. 즉 다섯 사람이 한 대에 타는 것입니다.)

□ ところが

しかし、けれども。

例 次のバス停でおばあさんが乗ってきた。**ところが**、誰も席をゆずらなかった。

("An old woman got on the bus at the next stop, but nobody gave her a seat. ／老奶奶从下一个公交车站上车了。但是，谁也没让座。／다음 버스 정류장에서 할머니가 탔다. 그런데 아무도 자리를 양보하지 않았다.)

「～ない」の形

□ あまり～ない

多くない、強くない(少ない、軽い)様子を表す。

例 期待して読んだけど、**あまり**面白く**なかった**。

I started to read it with a lot of expectation, but it was not so interesting. ／非常期待地读了，可不太有意思。／기대하고 읽었지만 별로 재미없었다.)

□ そんなに～ない

多くない、強くない(少ない、軽い)様子を表す。

例 あと1時間あるから、**そんなに**急ぐ必要は**ない**。

(We still have one more hour, so we don't have to hurry so much. ／还有一个小时，没必要那么急。／앞으로 1시간 있으니까 그렇게 서두를 필요는 없다.)

□ ちっとも～ない

少しも～ない。

例 こんな物をもらっても、**ちっとも**うれしく**ない**。

(Receiving something like this doesn't make me happy. ／就是得到这样的东西，也一点儿都不高兴。／이런 물건을 받아도 조금도 기쁘지 않다.)

□ 全く～ない

全然～ない。

例 こういう話題には、**全く**興味が**ない**。

(I'm not interested in topics like this at all. ／我对这样的话题，一点儿都不感兴趣。／이런 화제에는 전혀 흥미가 없다.)

□ めったに～ない

～するのはほとんどない。

例 店長は優しい人で、**めったに**怒ら**ない**。

(The store manager is a nice person and rarely gets angry. ／店长是个性情温和的人，很少发怒。／점장은 상냥한 사람이어서 여간해서 화를 내지 않는다.)

85

文法 よく出る基本文型80

□ **〜うちに**

〜間に。

例 どうぞ、温かい**うちに**食べてください。
(Please eat it while it is still hot. ／请趁热吃吧。／자, 따뜻할 때 드세요.)

□ **〜おかげで**

〜の力・助けで。〜がいたから。感謝の気持ちを表す。

例 親の**おかげで**大学に行くことができた。
(I was able to go to college because of the support from my parents. ／托父母的福我才能上大学。／부모님 덕분에 대학에 갈 수 있었다.)

□ **〜かける**

途中まで〜（しようと）する。「〜する途中であること」を表す。

例 先生は何か言い**かけた**が、やめて、別の話を始めた。
(The teacher was saying something, but stopped, and started to talk about something different. ／老师说了个头，又没说了，说起了别的事情。／선생님은 무언가 말하려다가 그만두고 다른 이야기를 시작했다.)

□ **〜から〜にかけて**

〜から〜までの間。

例 今夜**から**明日の朝**にかけて**雪が降るでしょう。
(It will start to snow tonight until tomorrow. ／从今晚到明天早上都会降雪。／오늘 밤부터 내일 아침에 걸쳐 눈이 내릴 것입니다.)

□ **〜とは限らない**

（〜だから）必ず〜とはいえない。

例 子どもだから甘いものが好き**とは限らない**。
(It is not always true that children love sweets. ／不见得孩子就喜欢甜食。／아이라서 단 것을 좋아한다고 할 수 없다.)

□ **〜がる**

〜と思う。誰かがある気持ちを持っていることを表す。

例 あなたが欠席すると聞いて、彼はとても残念**がって**いました。
(He was very disappointed when he heard that you would be absent. ／听说你缺席，他感到非常遗憾。／당신이 결석한다고 해서 그는 무척 아쉬워하였습니다.)

□ **〜かわりに**

「Aの代わりにB」という場合の表現。

例 牛肉の**代わりに**豚肉を使ってもおいしくできます。
(In place of beef it would also taste good using pork. ／用猪肉代替牛肉使用，非常美味。／소고기 대신에 돼지고기를 사용해도 맛있게 됩니다.)

□ **〜くらい（…はない）**

〜と同じくらい（ほど）…はない。「〜がいちばんだ」という意味を表す。

例 合格発表**くらい**緊張するものはない。
(There is nothing to make me feel nervous more than announcements of test results. ／再没有比合格发表更紧张的了。／합격 발표만큼 긴장되는 일은 없다.)

□ **〜（に）比べて**

〜と比べると。

例 地方**に比べて**東京は家賃が高い。
(Rent is more expensive in Tokyo comparing to rural areas. ／和地方相比，东京的房租很高。／지방에 비해 동경은 집세가 비싸다.)

□ **〜こそ**

〜はきっと。まさに〜が。

例 今年**こそ**海外旅行に行こう。
(Let's definitely go on an overseas trip this year. ／今年一定要去国外旅行一次。／올해는 꼭 외국여행을 가자.)

□ ～ことにする

～という決まりにする。

例 健康のため、明日から毎日30分歩くことにした。

(I decided to walk for 30 minutes everyday from tomorrow for my health. ／为了健康，从明天开始每天都三十分钟。／건강을 위해 내일부터 매일 30 분 걷기로 했다.)

□ ～ことになる

～ことが決まる。

例 大阪へ引っ越すことになった。

(It has been decided that I will move to Osaka. ／决定搬到大阪。／오사카로 이사 가게 되었다.)

□ ～ことはない

～なくていい。～する必要はない。

例 時間は十分ある。急ぐことはない。

(We have a lot of time. There's no hurry.／事件充裕。不用着急。／시간은 충분히 있다. 서두를 필요는 없다.)

□ ～さ

形容詞を名詞にした形。

例 この寒さは、今月いっぱいまで続くそうだ。

(I heard that this coldness will continue to the end of this month. ／听说今年会一直冷到这个月月底。／이 추위는 이번 달 끝까지 계속된다고 한다.)

□ ～最中(に)

～をしているちょうどそのとき。

例 試験の最中に誰かの携帯が鳴った。

(In the middle of the exam, somebody's cell phone rang. ／正在考试的时候，有人的手机响了。／시험 중에 누군가의 휴대전화가 울렸다.)

□ ～さえ

～も。最も低いレベルを例にして、意味を強める表現。「～でさえ」は「～でも」。

例 そこは小さな町で、コンビニさえなかった。

(It was a small town and there are not even a convenience store. ／那是个小镇，就连便利店都没有。／그곳은 작은 마을로 편의점조차 없었다.)

□ ～(さ)せてください

…が～することを許可して(＝OKして)ください。

例 その仕事、私にやらせてください。

(Please let me do that job. ／让我做这个工作吧。／그 일, 제게 시켜주세요.)

□ ～しかない

～だけある。「～しか…ない」は「～だけ…」(例：彼しか食べない→彼だけ食べる)。

例 冷蔵庫にはコーラしかなかった。

(There was nothing but a Coke in the refrigerator. ／冰箱里只有可乐。／냉장고에는 콜라밖에 없었다.)

□ ～ずに

～ないで。

例 気がついたら、電気も消さずに寝てしまっていた。

(I realized that I fell a sleep without turning off the lights. ／没注意到自己没关灯就睡着了。／정신을 차리니 전기도 끄지 않고 자 버렸다.)

□ ～せいで

～ために。「～が原因・理由で」という意味。

例 円安のせいで、ガソリンが高くなった。

(The gas price went high because the yen is weak. ／因为日元贬值的原因，汽油涨价了。／엔저의 탓으로 자동차 기름이 비싸졌다.)

□ ～(だ)って［伝聞］

～(だ)そうだ。

例 明日の試合は中止だって。

(I heard that the tomorrow's game was canceled. ／听说明天的比赛中止了。／내일 시합은 중지래.)

□ ～たところ

～たら、その結果。

例 お店の名前を変えたところ、みんなに覚えにくいと言われた。

(When I changed the name of the store, they said that it is difficult to remember. ／店铺的名称一改，大家都说太难记了。／가게의 이름을 바꾸었더니 모두가 외우기 어렵다고 했다.)

試験に出る 重要語句・文型リスト

～たび(に)
～すると、いつも。

例 この曲を聴く**たびに**、大学の頃を思い出す。
(Every time I listen to this music, I am reminded of my college time. ／一听到这个曲子，就想起了大学时代。／이 곡을 들을 때마다 대학 시절이 생각난다.)

～たら…のに
～ば…けど(そうならないだろう)なあ。「実際には起こりにくいこと」を願う気持ちを表す。

例 明日の試験、大雪で延期になっ**たら**いいのになあ。
(I wish tomorrow's exam would be postponed with the heavy snow. ／明天的考试，要是因为大雪延期就好了。／내일 시험은 대설로 연기되면 좋겠구나.)

～ついでに…
「～する機会を利用して(加えて…もする)」という意味。

例 買い物の**ついでに**郵便局に寄った。
(While I was out shopping, I stopped at the post office. ／买东西的时候，顺便去了趟邮局。／쇼핑하는 김에 우체국에 들렀다.)

～っけ
確かに～か。はっきりしないことについて、誰かに確認を求める表現。

例 お父さんの誕生日、明日だった**っけ**。
(Isn't dad's birthday tomorrow? ／父亲的生日是明天吗？／아버지의 생일은 내일이었지？)

～って [引用]
～というものは。

例 「スキヤキ」**って**、どんな食べ物ですか。
(You mentioned Sukiyaki. What kind of food is it? ／「スキヤキ」是什么吃的啊？／"스키야키"는 어떤 음식입니까？)

～って
～と。

例 今日は雪が降る**って**、天気予報で言ってたよ。
(The weather forecast said that it would snow today. ／据说今天下雪，我听天气预报说的。／오늘은 눈이 내린다고 기상예보에서 말했어.)

～っぱなし
～たまま。

例 昨日、テレビをつけ**っぱなし**で寝てしまった。
(Yesterday I fell a sleep leaving the TV on. ／昨天开着电视就睡着了。／어제 텔레비전을 켠 채로 자 버렸다.)

～つもりだった(のに)
～予定だった(が)。

例 野球を見に行く**つもりだったのに**、急に仕事が入って行けなくなってしまった。
(Although I intended to go to watch the baseball game, I could not go because of an urgent business. ／本来想去看棒球的，突然有工作没能去成。／야구를 보러 갈 예정이었는데 갑자기 일이 들어와서 갈 수 없어져 버렸다.)

～てばかりだ
いつも～ている。同じことを続けて、変化がない様子を表す。

例 息子は遊ん**でばかり**で、全然勉強しない。
(My son is just playing and doesn't study at all. ／儿子就知道玩儿，一点儿都不学习。／아들은 놀기만 하고 전혀 공부하지 않는다.)

～てはじめて…
そうなったときに、初めて大切なことに気がつく様子を表す。

例 病気になっ**て初めて**、健康のありがたさがわかった。
(I realized the value of health for the first time when I became sick. ／生病后才第一次知道健康的重要性。／병에 걸리고 비로소 건강의 고마움을 알았다.)

～てほしい
「～すること」を望む表現。

例 もっと給料を上げ**てほしい**。
(I want them to give me a bigger pay raise. ／希望能再增加些工资。／좀 더 월급을 올려 주었으면 한다.)

～ということ
名詞の形をつくる表現。

例 生きる**ということ**は簡単なことではない。
(It is not easy to live. ／生活不是简单的事情。／산다는 것은 간단한 일은 아니다.)

□ ～というと／いえば
～について、まずイメージされるのは。
例 上野動物園といえばパンダです。
(When Ueno zoo is mentioned, it reminds people of panda bears.／说到上野公园，还是熊猫。／우에노 동물원이라고 하면 판다입니다．)

□ ～といっても
～ではあるけれども。
例 レストランといっても、テーブルが２つあるだけの店です。
(Although I said "restaurant", it was a place having only two tables.／虽说是餐馆，也是只有两个桌子的店铺。／레스토랑이라고 해도 테이블이 2 개만 있는 가게입니다．)

□ ～とおり
～と同じように。
例 説明書の通りに組み立てた。
(I put everything together according to the manual.／按照说明书上的进行组装。／설명서대로 조립했다．)

□ ～ておく
準備のために先に～することを表す。
例 今晩、お客さんが来るから、飲み物を冷やしておいて。
(Please chill the drinks ahead of time, because we will have guests tonight.／今晚有客人来，冷藏些饮料吧。／오늘 밤, 손님이 오니까 음료수를 차갑게 식혀 둬．)

□ ～ところだった
もう少しで～しそうだった。
例 もう少しで会社に遅刻するところだった。
(I was almost late for work.／上班差点儿就迟到了。／하마터면 회사에 지각할 뻔했다．)

□ ～としたら
もし～なら。
例 海外旅行に行くとしたら、どこに行きたいですか。
(If you go on an overseas trip, where would you like to go?／如果去国外旅行的话，你想去哪里呢？／외국여행에 간다면 어디에 가고 싶습니까？)

□ どんなに～ことか
「どんなに～だろう。きっと、とても～だろう」という意味。
例 それが実現したら、どんなに嬉しいことか。
(If it comes true, I can't even imagine how happy I might be.／那要是能实现的话，有多开心啊！／그것이 실현되면 얼마나 기쁠 것인가．)

□ どんな～でも…
「例外はなく、すべてについて…」ということを表す。
例 気になることがあったら、どんな小さなことでも報告してください。
(If you have something on your mind, please let us know it no matter how small you feel it is.／要是有什么注意到的事情，多小的事情也要报告。／마음에 걸리는 것이 있으면 어떤 작은 일이라도 보고해 주세요．)

□ ～ないことはない
「しないことはない→する」という形。
例 今の収入は多くはないが、生活できないことはない。
(My income is not much, but it is not the case that I can't live with it.／虽然现在的收入不算多，但也不是不能生活。／지금 수입은 많지 않지만 생활할 수 없는 것은 아니다．)

□ ～ないと
～なければ。
例 急がないと間に合わない。
(If you don't hurry, you will miss it.／不快点儿就赶不上了。／서두르지 않으면 시간에 댈 수 없다．)

□ ～なんか
～など。軽くあつかう気持ちを表す。嫌ったり怒ったりする気持ちを表す場合もある。
例 見た目なんか、どうでもいい。
(I don't care about appearance.／外观怎么都无所谓。／겉으로 보이는 것은 아무래도 상관없다．)

試験に出る 重要語句・文型リスト

□ **〜なんて**

〜とは。驚きや意外な気持ちを表す。

例 彼がそんなひどいことを言う**なんて**、信じられない。
(I can't believe that he said such a terrible thing. ／他居然说那么过分的话,真让人不敢相信。／그가 그렇게 심한 말을 하다니 믿을 수 없다．)

□ **〜において**

〜で。

例 スピードは増したが、安全面**において**まだ問題がある。
(The speed increased, but there are still problems with safety. ／虽然速度增加了,但安全面上还存在问题。／속도도 늘었지만 안전 면은 아직 문제가 있다．)

□ **〜にかわって**

「Aの代わりにB」という場合の表現。

例 出張中の社長**に代わって**、部長がスピーチをした。
(The department chief made a speech in place of the president who was on business trip. ／部长代替正在出差的社长进行演讲。／출장 중인 사장님을 대신해서 부장님이 연설했다．)

□ **〜に関して**

〜について。

例 ここでは、がんの治療**に関して**専門的な研究を行っている。
(They are carrying out specialized research on cancer treatment here. ／这里进行着关于癌症治疗的专门研究。／여기에서는 암의 치료에 관해 전문적인 연구를 하고 있다．)

□ **〜に比べて**

〜と比べると。

例 前の会社**に比べて**、給料は少しよくなった。
(My salary became a little better compared to my former company. ／和前面的公司相比,工资涨了一点儿。／전의 회사에 비해 월급은 조금 좋아졌다．)

□ **〜にしては**

〜には似合わず。〜とは思えないように。

例 観光地**にしては**人が少ないね。
(There are few people for tourist spot. ／对于观光地来说,人太少了。／관광지치고는 사람이 적군．)

□ **〜（に）対して**

〜に。〜に向かう様子を表す。

例 授業料の値上げ**に対して**、反対意見が出た。
(There was opposition to an increase in tuition. ／对于提高学费这一点,有人提出反对意见。／수업료의 인상에 대해 반대 의견이 나왔다．)

□ **〜にとって**

〜には。〜の場合。

例 私**にとって**、これはとても大きな問題です。
(From my standpoint, this is a big problem. ／对我来说,这是很大的问题。／내게 이것은 무척 큰 문제입니다．)

□ **〜によって…**

〜に応じて／〜の力・働きで。
※〜のもとになるものを示す表現。

例 出発日**によって**ツアー代金が違います。／この建物は当時の政府**によって**建てられた。
(The tour fees are different, depending on the departure date. / This building was built by the government at that time. ／根据出发日不同,旅行费用也不一样。/这栋建筑物是当时政府建造的。／출발일에 따라 투어 요금이 다릅니다 / 이 건물은 당시 정부에 의해 세워졌다．)

□ **〜によれば／よると**

〜では。〜の話では。情報のもとを示す表現。

例 案内状**によれば**、パーティーは午後1時からだそうだ。
(According to the invitation letter, the party will start at 1:00 pm. ／据请帖上写的,晚会是下午一点开始。／안내장에 의하면 파티는 오후 1시부터라고 합니다．)

～ばかり

～だけ。～に集中していることへの不満の気持ちを表す。

例 母は弟ばかり可愛がる。
(My mother only gives her attention to my younger brother. ／母亲只疼爱弟弟。／어머니는 남동생만 귀여워한다．)

～ばかりか…も

～だけでなく…も。

例 あの店は、店員ばかりか店長も態度が悪い。
(Not only clerks but even the manager has a bad attitude in that store. ／那个店铺，不仅仅是店员，店长的态度也很恶劣。／저 가게는 점원뿐만 아니라 점장도 태도가 나쁘다．)

～はずだ

きっと～。普通なら～。

例 今京都だから、あと30分くらいで大阪に着くはずだ。
(We are now in Kyoto, so we should arrive at Osaka in about 30 minutes. ／现在在京都，还有三十分钟左右就到大阪了。／지금 교토이니까 앞으로 30분 정도로 오사카에 도착할 것이다．)

～べきだ

当然～なければならない。

例 今度のことは彼が悪いのだから、彼が謝るべきだ。
(Since it was his fault that this whole incident happened, he has to apologize. ／这次的事情是他不好，他应该道歉。／이번 일은 그가 나쁘니까 그는 사과해야 한다．)

～ほど

～(の)ほうがその分…。

例 若い人ほどインフルエンザにかかりやすい。
(The younger you are, the easier you get flu. ／年轻人容易患上流行性感冒。／젊은 사람일수록 인플루엔자에 걸리기 쉽다．)

～ほど…は(い)ない

～のように…は(い)ない。～はいちばん…だ。

例 生命の誕生ほど不思議なことはない。
(There is nothing more mysterious than the beginning of life. ／再也没有比生命的诞生而不可思议的事情。／생명의 탄생만큼 신기한 것은 없다．)

～ますように

「～するようにお願いします」という意味。

例 どうか入学試験に合格しますように。
(I hope I will pass the entrance exam. ／但愿入学考试能够合格。／제발 대학 시험에 합격하도록 해주세요．)

～まで

(～だけでなく)～も。

例 私の留学については、父だけでなく、母までが反対した。
(Not only my dad, even my mom was opposed to my plan for studying abroad. ／对于我的留学，不仅仅是父亲，就连母亲也反对。／나의 유학에 대해서는 아버지뿐만이 아니라 어머니까지 반대했다．)

～まま

～ているその状態で。

例 たまに、めがねをかけたまま寝てしまいます。
(Once in a while I fall a sleep leaving my glasses on. ／有时候我戴着眼镜就睡着了。／가끔 안경을 쓴 채로 자 버립니다．)

～みたい

～(の)よう。～に見えることを表す。

例 課長は体が大きくて、クマみたいな人です。
(My section chief is big and looks like a bear. ／科长的个子高，体型像熊。／과장님은 몸이 커서 곰 같은 사람입니다．)

～もの／もんだ

～たなあ。なつかしいと思う気持ちを表す。

例 子どもの頃はよく公園で遊んだものだ。
(I used to play in parks when I was a child. ／小时候经常在公园玩。／아이 때는 자주 공원에서 놀았다．)

試験に出る 重要語句・文型リスト

□ ～よう（だ）
～と思う。そのように見えることを表す。

例 残業続きで、彼は疲れている**よう**だ。
(He seems tired from overworking continuously. ／持续加班,他好像很累。／잔업이 이어져서 그는 피곤한 것 같다.)

□ ～ようとしない
～する様子が見られない。

例 息子は、いくら言っても勉強し**ようとしな**い。
(My son doesn't try to study no matter how many times I told him to do so. ／不管怎么对儿子说,他都不学习。／아들은 아무리 말해도 공부하려고 하지 않는다.)

□ ～ようとする
～することに向かう様子を表す。

例 豆は上に伸び**ようとする**力が強く、１日で５センチ以上伸びる。
(Beans have strong power to try to climb up and grow more than 5 centimeters a day. ／豆子向上长的力量很强大,一天会生长五厘米以上。／콩은 위로 크는 힘이 강하여 하루에 5 센티미터 이상 큰다.)

□ ～ようと思う
～するつもりだ。

例 引退したら、指導者になろ**うと思って**いる。
(I think I will be a coach after I retire. ／要是引退的话,我想当教练。／은퇴하면 지도자가 되려고 한다.)

□ ～ように［目的］
～ことをめざして。

例 〈先生が生徒に〉これからは遅刻や欠席をしない**ように**。
(Do not be late or absence from now on. ／以后注意不要迟到或缺席了。／지금부터는 지각이나 결석을 하지 말도록 해.)

□ ～ように言う
～てくださいと言う。

例 雨が降るかもしれないので、傘を持ってくる**ように言われ**た。
(I was told to bring an umbrella because it might rain. ／因为可能会下雨,让我带伞。／비가 내릴지도 모르니까 우산을 가져오라고 했다.)

□ ～ようにする
～ために努力する。

例 出発の時間には、絶対遅れない**ようにして**ください。
(Please make very sure not to be late for the departure time. ／出发时间绝对不能晚。／출발 시각에는 절대 늦지 않도록 해주세요.)

□ ～ようになる
～状態になる。

例 １年間勉強して、日本語が少し話せる**ようになっ**た。
(I studied for one year and became to be able to speak Japanese a little bit. ／学了一年,能说点儿日语了。／１년간 공부해서 일본어를 조금 말할 수 있게 되었다.)

□ ～らしい［推量］
～ようだ。～そうだ。～と思われる。

例 今日の試合は延期になる**らしい**。
(It seems that today's game will be postponed. ／听说今天的考试会延期。／오늘 시합은 연기될 것 같다.)

□ ～らしい［性質］
まさに～を感じさせる。

例 娘はいつもジーンズで、女性**らしい**服をほとんど着ない。
(My daughter always wears jeans and doesn't wear feminine clothes very often. ／女儿总是穿着牛仔,几乎不穿女孩的衣服。／딸은 항상 청바지차림이고 여자다운 옷을 거의 입지 않는다.)

□ ～わけ（が）ない
～ことは考えられない。

例 彼がそんなひどいことを言う**わけがない**。
(It is impossible for him to say such a terrible thing. ／他不可能说那么过分的话。／그가 그렇게 심한 말을 할 리가 없다.)

□ 〜わけではない

〜ということではない。

例 試験まで時間はほとんどないけど、あきらめている**わけではない**。
(Although I don't have much time before the exam, it does not mean that I gave up. ／到考试为止几乎没有时间了，但并没有放弃。／시험까지 시간은 거의 없지만 포기한 것은 아니다.)

□ 〜わけにはいかない

〜ことはできない(許されない)。

例 就職したら、今までのようにバンドを続ける**わけにはいかない**。
(Once I start to work, I can't keep playing in the band as I do now. ／就职了，就不可能像过去一样继续组织乐队了。／취직하면 지금처럼 밴드를 계속할 수는 없다.)

□ 〜わりに(は)

〜ことを考えると。「〜ことに合わない」という不満の気持ちを表す。

例 値段が高い**わりには**、あまりおいしくない。
(It is not very tasty, considering how expensive it is. ／价格比较贵，还不太好吃。／가격이 비싼 데 비해 별로 맛이 없다.)

試験に出る 重要語句・文型リスト

読解 読解問題に出るキーワード

文化・芸術・歴史 Culture, art and history／文化・芸術・歴史／문화・예술・역사

- ☐ 味わう　to taste／品味、品尝／맛보다
  - 例 芸術を味わう、自然の豊かさを味わう
- ☐ 演奏(する)　musical performance／演奏／연주
- ☐ 画家　painter／画家／화가
- ☐ 芸術家　artist／艺术家／예술가
- ☐ 現代　present age, modern times／现代／현대
  - 例 現代芸術、現代の社会、現代人
- ☐ 作品　work／作品／작품
  - 例 有名な作品、作品を発表する
- ☐ 作家　writer／作家／작가
  - 例 人気作家、作家の意図
- ☐ 時代　era／时代／시대
  - 例 時代の変化、江戸時代
- ☐ 出来事　event／事件／생긴 일
  - 例 歴史的な出来事
- ☐ 表現(する)　expression／表现／표현
  - 例 自由な表現、表現豊かな作品
- ☐ 文学　literature／文学／문학
  - 例 文学作品、日本文学

生活・社会 Life and society／生活・社会／생활・사회

- ☐ 田舎　countryside／农村／시골
  - 例 田舎暮らし
- ☐ 解決(する)　solution／解决／해결
  - 例 問題を解決する
- ☐ 近所　neighborhood／邻居／근처
  - 例 近所に挨拶する、近所のスーパー
- ☐ 苦情　complaint／抱怨、意見／고충
  - 例 近所からの苦情、苦情の電話

- ☐ 工夫(する)　device／想办法／궁리
  - 例 生活の工夫、工夫が足りない
- ☐ 高齢者　senior, elderly person／高龄老人／고령자
  - 例 高齢者の割合、高齢者の食事
- ☐ 個人　individual／个人／개인
  - 例 個人の問題、個人客(⇔団体客)
- ☐ 参加(する)　participation／参加／참가
  - 例 大会に参加する、参加者、参加費
- ☐ 事件　incident／事件／사건
  - 例 政治家が関係する事件、事件を解決する
- ☐ 事故　accident／事故／사고
  - 例 交通事故、事故を防ぐ
- ☐ 住民　residents／居民／주민
  - 例 住民の集まり
- ☐ 人口　population／人口／인구
  - 例 人口が増える、高齢者人口
- ☐ 政治　politics／政治／정치
- ☐ 制度　system／制度／제도
  - 例 教育制度、選挙制度
- ☐ 性別　sex, gender／性別／성별
  - 例 性別はわからない。
- ☐ 逮捕(する)　to arrest／逮捕／체포
- ☐ 団体　group, organization／団体／단체
  - 例 団体旅行、団体参加(⇔個人参加)
- ☐ 地域　region／区域／지역
- ☐ 都会　city／都市／도시
  - 例 都会と田舎
- ☐ (お)年寄り　elderly person／老人／노인
  - 例 お年寄りに席をゆずる
- ☐ 人間関係　relationship／人际关系／인간관계
- ☐ 年齢　age／年龄／연령
- ☐ 犯罪　crime／犯罪／범죄

読解

- ☐ 犯人（はんにん） criminal ／犯人／범인
- ☐ 被害（ひがい） damage ／受害／피해
- ☐ 平和(な)（へいわ） peace ／和平的／평화
  - 例 平和な暮らし
- ☐ 若者（わかもの） youth, young people ／年轻人／젊은 사람

教育・研究・科学（きょういく・けんきゅう・かがく） Science, research and education ／教育・研究・科学／교육・연구・과학

- ☐ 学習(する)（がくしゅう） learning ／学习／학습
  - 例 学習法（＝学習方法）、学習の機会を得る
- ☐ 基礎（きそ） foundation ／基础／기초
  - 例 基礎を学ぶ、基礎づくり
- ☐ 結果（けっか） result ／结果／결과
  - 例 試験の結果、結果をまとめる
- ☐ 効果（こうか） effect ／效果／효과
  - 例 学習効果、効果が高い
- ☐ 差（さ） difference ／差／차이
  - 例 わずかの差、男女の差
- ☐ 実験(する)（じっけん） experiment ／实验／실험
  - 例 実験を重ねる（実験をくり返す）
- ☐ 調べる（しらべる） to examine ／调査／조사하다
- ☐ 順番に（じゅんばんに） in order ／顺序／순서대로
  - 例 順番に並ぶ、順番に答える
- ☐ 速度（そくど） speed ／速度／속도
  - 例 通信速度、速度が増す
- ☐ 方法（ほうほう） way, method ／方法／방법
  - 例 練習方法、申込方法
- ☐ 割合（わりあい） ratio, percentage ／比例／비율
  - 例 高齢者の割合

体・健康・病気（からだ・けんこう・びょうき） Body, health and disease ／身体・健康・疾病／몸・건강・병

- ☐ 医師（いし） doctor ／医师／의사
- ☐ (体を)動かす（うごかす） to move, to exercise ／活动身体／움직이다
- ☐ 栄養（えいよう） nutrition ／营养／영양
  - 例 栄養をとる、栄養不足

- ☐ 屋外（おくがい） outdoor ／屋外／옥외
  - 例 屋外施設
- ☐ 回復(する)（かいふく） recovery ／恢复／회복
  - 例 健康が回復する、体力が回復する
- ☐ 患者（かんじゃ） patient ／患者／환자
  - 例 患者をみる、がん患者
- ☐ 呼吸(する)（こきゅう） breathing ／呼吸／호흡
  - 例 ゆっくり呼吸する
- ☐ 室内（しつない） interior ／室内／실내
  - 例 室内の温度、室内プール
- ☐ 水分（すいぶん） moisture ／水分／수분
  - 例 水分をとる
- ☐ ストレス stress ／精神压力／스트레스
  - 例 仕事のストレス、ストレスがたまる
- ☐ 体温（たいおん） temperature ／体温／체온
  - 例 体温を測る
- ☐ 体力（たいりょく） physical strength, stamina ／体力／체력
  - 例 体力をつける、体力が落ちる
- ☐ 疲れ（つかれ） fatigue ／疲劳／피곤
  - 例 疲れがたまる、疲れをとる
- ☐ 涙（なみだ） tear ／眼泪／눈물
- ☐ のど throat ／喉咙／목
  - 例 のどが痛い、のどが渇く
- ☐ 鼻（はな） nose ／鼻子／코
- ☐ 防ぐ（ふせぐ） to prevent ／防止／막다
  - 例 風邪を防ぐ、事故を防ぐ

自然、環境（しぜん、かんきょう） Nature and environment ／自然、环境／자연・환경

- ☐ 宇宙（うちゅう） universe ／宇宙／우주
  - 例 宇宙飛行士
- ☐ 影響(する)（えいきょう） influence ／影响／영향
  - 例 台風の影響、影響を受けた人
- ☐ エコ eco ／环保意识／친환경
  - 例 エコ活動、エコに熱心な企業
- ☐ 温度（おんど） temperature ／温度／온도
  - 例 お湯の温度、室内の温度
- ☐ 気温（きおん） temperature ／气温／기온

試験に出る重要語句・文型リスト

試験に出る 重要語句・文型リスト

- ☐ 気候（きこう） climate ／气候／기후
  - 例 あすの気温、5月の平均気温
  - 例 温かい気候、気候の変化
- ☐ 金属（きんぞく） metal ／金属／금속
  - 例 金属製の板
- ☐ 咲く（さく） to bloom ／盛开／피다
  - 例 花が咲き始めた。
- ☐ 散る（ちる） to scatter ／凋谢／지다
  - 例 花が散ってしまった。
- ☐ 資源（しげん） resources ／资源／자원
  - 例 資源に恵まれる、天然資源
- ☐ 実（み） fruit, berry ／果实／열매
  - 例 木の実、実がなる（＝できる）
- ☐ 蒸し暑い（むしあつい） hot and humid, muggy ／闷热／무덥다
- ☐ 人工（じんこう） artificial ／人工／인공
  - 例 人工衛星、人工呼吸器、人工の川
- ☐ 生える（はえる） to grow ／生长／자라다
  - 例 草が生える、毛が生える
- ☐ 生き物（いきもの） creature ／生物／생물
  - 例 地球上のすべての生き物
- ☐ 生物（せいぶつ） creature ／生物／생물
  - 例 生物の研究、生物学
- ☐ 太陽（たいよう） sun ／太阳／태양
  - 例 太陽電池、太陽の動き
- ☐ 津波（つなみ） tsunami ／海啸／해일
- ☐ 天候（てんこう） weather ／天气／날씨
  - 例 天候の影響を受ける、悪天候
- ☐ 天然（てんねん） nature ／天然／천연
  - 例 天然の水、天然温泉
- ☐ 虹（にじ） rainbow ／彩虹／무지개
- ☐ 日光（にっこう） sunlight ／日光／햇빛
  - 例 日光に当てる、日光に当たる
- ☐ 熱（ねつ） heat ／热度／열
  - 例 熱が生じる、高熱に達する
- ☐ 日差し（ひざし） sunlight ／阳光／햇볕
  - 例 強い日差し、日差しを浴びる

経済・産業（けいざい・さんぎょう） Economic and industrial ／经济・产业／경제・산업

- ☐ 企業（きぎょう） company ／企业／기업
  - 例 大企業、中小企業、有名企業
- ☐ 経営（けいえい）（する） management ／经营／경영
  - 例 経営者、経営学
- ☐ 減少（げんしょう）（する） decrease ／减少／감소
  - 例 人口の減少、旅行者の減少、事故の減少
- ☐ 就職（しゅうしょく）（する） finding employment ／就职／취직
  - 例 就職活動を始める
- ☐ 消費（しょうひ）（する） consumption ／消费／소비
  - 例 消費者、消費税、大量消費、消費期限
- ☐ 生産（せいさん）（する） production ／生产／생산
  - 例 生産者、生産量、大量生産、生産地
- ☐ 税金／税（ぜいきん／ぜい） tax ／税金／세금
  - 例 消費税、税別価格
- ☐ 増加（ぞうか）（する） increase ／增加／증가
  - 例 人口の増加、利用者の増加、輸入（量）の増加
- ☐ 売り上げ／売上（うりあげ） sales ／销售额／매상
  - 例 売上が伸びる、売上報告
- ☐ 販売（はんばい）（する） sale, sales ／贩卖／판매
  - 例 食品の販売、販売方法、通信販売
- ☐ 輸出（ゆしゅつ）（する） export ／出口／수출
- ☐ 輸入（ゆにゅう）（する） import ／进口／수입
- ☐ 労働（ろうどう）（する） work ／劳动／노동
  - 例 労働条件、労働環境、重労働、労働者
- ☐ 雇う（やとう） to hire ／雇用／고용하다
  - 例 アルバイトを雇う

商品・サービス（しょうひん） Products and services ／商品・服务／상품・서비스

- ☐ 扱う（あつかう） to treat, to deal ／处理／취급하다
  - 例 この店では、お酒も扱っている。／扱いに注意する

読 解

- ☐ 管理（する） management ／管理／관리
  - 例 商品管理、鍵を管理する、（アパートなどの）管理人、選手たちの食事を管理する
- ☐ 期限 deadline ／期限／기한
  - 例 申込期限、返却期限、消費期限
- ☐ 記入（する） entry, filling out ／記入／기입
  - 例 名前を記入する、記入用紙、記入方法
- ☐ 支払う to pay ／支付／지불하다
  - 例 現金で支払う、支払方法、支払期限
- ☐ 修理（する） repair ／修理／수리
  - 例 修理を受け付ける、修理センター
- ☐ 使用（する） use ／使用／사용
  - 例 使用目的、使用料、使用済みの切手
- ☐ 書類 document ／文件、資料／서류
  - 例 重要な書類、申込書類
- ☐ 製品 product ／产品／제품
  - 例 家電製品、自社の製品
- ☐ 代金 price ／货款／대금
  - 例 商品の代金、代金の支払い
- ☐ 注文（する） order ／订货／주문
  - 例 注文を受け付ける、ネットで注文する、細かい注文
- ☐ 問い合わせる to inquire ／咨询／문의한다
  - 例 店に問い合わせる、商品に関する問い合わせ、問い合わせ先の番号
- ☐ 登録（する） registration ／登录／등록
  - 例 会員に登録する、登録の手続き、登録番号
- ☐ 届く to reach ／到达／도착하다
  - 例 荷物が届く、メールが届く、声が届く

- ☐ 保証（する） warranty ／保证／보증
  - 例 安全を保証する、内容を保証する、保証書
- ☐ 窓口 window ／窗口／창구
  - 例 登録の窓口、受付の窓口、サービス窓口
- ☐ 申し込む to apply ／申请／신청하다
  - 例 入会を申し込む、申込書、申込手続
- ☐ 連絡（する） contact ／联络／연락
  - 例 連絡方法、連絡先、連絡が入る
- ☐ 割引（する） discount ／打折／할인
  - 例 割引販売、2割引、割引価格

その他 Other ／其他／그 밖

- ☐ アイデア idea ／主意、想法／아이디어
  - 例 アイデア商品、アイデアが浮かぶ、アイデアが豊富
- ☐ イメージ（する）
  - image ／印象／이미지
  - 例 日本人のイメージ、イメージが浮かぶ
- ☐ 確認（する） onfirmation ／确认／확인
  - 例 名前を確認する、再確認する、未確認情報
- ☐ 検討（する） consideration, review ／讨论、探討／검토
  - 例 企画を検討する、中止を検討する、現在検討中
- ☐ システム system ／系统／시스템
  - 例 通信システム、交通システム、販売システム

聴解　聴解問題に出るキーワード

大学・学校生活　University and campus life／大学・学校生活／대학・학교생활

- ☐ 教わる　to be taught／受教、学习／배우다
  - 例 私も森先生に絵を教わったことがある。
- ☐ 学費　tuition／学费／학비
  - 例 学費を払う
- ☐ キャンパス　campus／校园／캠퍼스
  - 例 大学のキャンパス
- ☐ 研究(する)　study (a)／研究／연구
  - 例 研究室、研究会
- ☐ 講義　lecture／讲义／강의
  - 例 講義を聞く、講義を受ける
- ☐ サークル　club／小组、倶乐部／서클
  - 例 大学のサークル、サークル活動
- ☐ 時給　hourly wage／按时计酬／시급
  - 例 時給800円のアルバイト
- ☐ 実習(する)　practice／实习／실습
  - 例 農業の実習
- ☐ 就職活動　job hunting／就职活动／취직활동
- ☐ 奨学金　scholarship／奖学金／장학금
  - 例 奨学金を受ける
- ☐ 進路　future course, path, career option／前进道路、毕业去向／진로
  - 例 進路について相談する
- ☐ ゼミ　seminar／研究班课程／세미나수업
  - 例 経済学のゼミ
- ☐ 専攻(する)　major／专业／전공
  - 例 国際経済を専攻する
- ☐ 大学院　graduate school／研究生院／대학원
  - 例 大学院に進学する
- ☐ 単位　credit／学分／학점
  - 例 単位を取る
- ☐ 知識　knowledge／知识／지식
  - 例 知識を得る、専門知識

- ☐ 発表(する)　presentation／发表／발표
  - 例 研究発表、ゼミの発表
- ☐ 履歴書　resume／履历表／이력서

会社・仕事　Company and work／公司・工作／회사・일

- ☐ 企画書　project proposal／企画书／기획
- ☐ アンケート　questionnaire／问卷调查／앙케이트
  - 例 アンケートをとる、アンケート結果をまとめる
- ☐ 打ち合わせ　meeting／协商／협의
  - 例 発表会の打ち合わせ
- ☐ 管理(する)　control, management／管理／관리
  - 例 商品の管理
- ☐ 勤務(する)　work, duty／工作、上班／근무
  - 例 A社に勤務する、勤務時間
- ☐ クレーム　claim／不满、索赔／클레임
  - 例 クレームの電話、お客さんからのクレーム
- ☐ 原稿　manuscript／草稿／원고
  - 例 原稿をチェックする
- ☐ 作業(する)　work, task／工作、操作／작업
  - 例 値札を付ける作業、細かい作業
- ☐ 仕上げる　to finish／加工、润色／끝내다
  - 例 一週間で仕上げる、きれいに仕上げる
- ☐ 社会人　member of society／社会一员、社会成员／사회인
  - 例 学校を卒業して社会人になる
- ☐ 出勤(する)　attendance at work／上班／출근
  - 例 朝8時に出勤する
- ☐ セミナー　seminar／讨论课／세미나
  - 例 働く女性のためのセミナー、就職セミナー

聴解

- ☐ 出来上がる　to be ready, to be completed／做完、做好／완성되다
  - 例 5分で出来上がる、出来上がりの日にち
- ☐ 転勤(する)　job transfer／调动工作／전근
  - 例 大阪に転勤する
- ☐ 取引先　business partner／客户、交易户／거래처
  - 例 取引先との打ち合わせ
- ☐ 人数　number of people／人数／사람 수
  - 例 出席者の人数
- ☐ プロジェクト　project／计划／프로젝트
  - 例 新製品のプロジェクト、プロジェクトチーム
- ☐ ミーティング　meeting／会议／미팅
  - 例 ミーティングに出る
- ☐ リスト　list／名单／리스트
  - 例 参加者のリスト

役所・図書館など　Government offices, libraries, etc.／政府・图书馆等／관공서・도서관

- ☐ 締め切り　deadline／截止／마감
  - 例 原稿の締め切り
- ☐ 開館(する)　opening／开馆／개관
  - 例 (図書館などの)開館時間
- ☐ 貸し出し(する)　loan, lending／租借／대출
  - 例 本の貸し出し
- ☐ 住所　address／地址／주소
  - 例 住所と電話番号を記入する(＝書く)
- ☐ 問い合わせる　to inquire／咨询／문의하다
  - 例 ホテルに問い合わせる、商品に関する問い合わせ
- ☐ 届け　notification／报告、申请／신청
  - 例 (休みをとりたい、物をなくした、住所が変わった、などで)(会社、警察、役所などに)届けを出す
- ☐ 返却(する)　return／返还／반납
  - 例 本を返却する

- ☐ 身分証／身分証明書　identification／身份证／신분증
- ☐ 催し　event／集会、活动／모임
  - 例 公園では、さまざまな催しが行われる。

商品・サービス　Products and services／商品・服务／상품・서비스

- ☐ 売り切れる　to be sold out／全部售完、售罄／매진되다
  - 例 早く買いにいかないと、売り切れてしまう。
- ☐ 価格　price／价格／가격
  - 例 商品の価格、石油価格
- ☐ クーポン　coupon／优惠券／쿠폰
  - 例 旅行のクーポン、1000円分のクーポン券
- ☐ 契約(する)　contract／协约／계약
  - 例 2年間の契約、契約書
- ☐ 故障　breakdown／故障／고장
  - 例 どこか故障しているかもしれない。
- ☐ 品物　goods／物品／상품
  - 例 欲しい品物を選んでもらいましょう。
- ☐ 新品　new (item)／新品／신품
  - 例 新品だから、全然汚れてない。
- ☐ 送料　shipping cost／运费／송료
  - 例 商品の代金とは別に、送料が500円かかる。
- ☐ 中古　used／二手／중고
  - 例 中古だけど、新品と変わらない。
- ☐ 通信販売／通販　mail order／邮购／통신판매
  - 例 通信販売でも買えるそうです。
- ☐ 手数料　commission／手续费／수수료
  - 例 10%の手数料がかかる。
- ☐ 値引き(する)　discount／降价／할인
  - 例 1000円値引きしてくれた。

試験に出る 重要語句・文型リスト

- ☐ 発売（する） release, launching ／出售／발매
  - 例 来月発売される、発売予定、発売日
- ☐ 半額 half price ／半价／반액
  - 例 半額で買う、半額セール
- ☐ 評判 reputation ／评判／평판
  - 例 評判を聞く、いい評判
- ☐ 不良品 defective product ／不良品／불량품
- ☐ 返品（する） returning product ／退货／반품
  - 例 不良品の場合、返品できますか。
- ☐ 満席 full occupancy ／満座、満員／만석
  - 例 会場はすでに満席だった。

交通・移動　Transport and movement ／交通・移動／교통・이동

- ☐ 往復（する） round trip ／往返／왕복
  - 例 往復で3時間かかる、往復切符
- ☐ 大通り avenue ／大路／큰길
  - 例 大通りに出る、大通り沿いの店
- ☐ 交通の便 transportation, access ／交通的班次／교통편
  - 例 交通の便がいい
- ☐ 渋滞（する） congestion ／堵车／교통정체
  - 例 渋滞でバスが動かない
- ☐ 近道 shortcut ／近路／지름길
  - 例 駅までの近道
- ☐ 到着（する） arrival ／到达／도착
  - 例 飛行機の到着時間
- ☐ 特急 limited express ／特快／특급
  - 例 1時間に1本、特急もある。
- ☐ ～方面 for ～ ／～方向／～방면
  - 例 京都方面行きの電車は何番ホームですか。
- ☐ 目印 mark, land mark ／标志／표시
  - 例 何か目印になるものはないですか。
- ☐ 最寄り nearest ／最近的／가장 가까운 곳
  - 例 最寄りの駅はどこですか。

健康・美容　Health and beauty ／健康・美容／건강・미용

- ☐ 体調 physical condition ／健康状态／컨디션
  - 例 体調が悪い、体調に気をつける
- ☐ ウイルス virus ／病毒／바이러스
  - 例 風邪のウイルス
- ☐ 顔色 complexion ／脸色／안색
  - 例 顔色がよくない
- ☐ かゆい itchy ／痒的／가렵다
- ☐ 禁煙（する） non smoking ／禁言／금연
  - 例 この中は禁煙です。
- ☐ 症状 symptom ／症状／증상
  - 例 風邪の症状／症状は軽い。
- ☐ ジョギング jogging ／慢跑／조깅
- ☐ ストレス stress ／紧张／스트레스
  - 例 ストレスを感じる、仕事のストレス
- ☐ だるい listless ／疲惫的／나른하다
  - 例 熱のせいで、体がだるい。
- ☐ トレーニング training ／训练／트레이닝
- ☐ ヘルシー（な） healthy ／健康的／건강한
  - 例 ヘルシーな料理
- ☐ 予防（する） prevention ／预防／예방
  - 例 風邪を予防する

スポーツ・趣味　Sports and hobbies ／运动・爱好／스포츠・취미

- ☐ インタビュー interview ／采访／인터뷰
  - 例 選手にインタビューする
- ☐ 温泉 hot springs ／温泉／온천
- ☐ 休日 holiday ／休息日／휴일
  - 例 休日はどのように過ごしていますか。
- ☐ 食事会 dinner ／晚餐会／식사회
  - 例 食事会の約束がある
- ☐ スポーツクラブ sports club ／运动俱乐部／스포츠 클럽

聴解

- ☐ ダイエット　diet／减肥／다이어트
  - 例 ダイエットを始める、ダイエット効果
- ☐ ネット（インターネット）
  - net (internet)／网络／인터넷
  - 例 ネットで注文する、ネットで調べる
- ☐ 録画（する）　video recording／录制／녹화
  - 例 録画予約をする、録画するのを忘れる

経済・社会　Economic and social／经济・社会／경제・사회

- ☐ 給料　salary／工资／월급
  - 例 給料が上がる、給料のいい会社
- ☐ 景気　economy／景气／경기
  - 例 景気がよくなる、不景気
- ☐ 効果　effect／效果／효과
  - 例 効果がある、効果が出る
- ☐ コスト　cost／成本／비용
  - 例 コストがかかる、コストが増える
- ☐ 消費税　consumption tax／消費税／소비세
  - 例 消費税が加わる
- ☐ 粗大ごみ　oversized garbage／大型垃圾／대형쓰레기
- ☐ 流行る　to be in fashion, to be trendy／流行／유행하다
  - 例 今年流行った曲
- ☐ ボーナス　bonus／奖金／보너스
  - 例 ボーナスが出る
- ☐ 保険証／健康保険証
  - health insurance card／健康保险证／건강보험증
- ☐ 予算　budget／预算／예산
  - 例 市の予算、予算の四分の一を占める
- ☐ 料金　fee, charge／金额／요금
  - 例 料金の支払い、料金の値上げ

場所・方向　Location and direction／场所・方向／장소・방향

- ☐ ATM　ATM／自动存取款机／현금인출기
  - 例 ATMに寄る、ATMでお金を下ろす
- ☐ 裏　back／后面／뒤
  - 例 裏に名前が書いてある。／裏から入る
- ☐ 川沿い　along the river／沿着河边／강가
  - 例 川沿いを歩く
- ☐ 逆　reverse／反面／반대 방향
  - 例 左右が逆。／この電車は、逆の方向だ。
- ☐ スペース　space／空间／스페이스
  - 例 荷物を置くスペースがない。
- ☐ 隅　corner／角落／구석
  - 例 部屋の隅に置いた。
- ☐ 中央　center／中央／중앙
  - 例 部屋の中央にテーブルを置く
- ☐ 中心　center／中心／중심
  - 例 街の中心にあるのが、この建物です。
- ☐ 突き当たり　end／尽头／막다른 곳
  - 例 その日は、2階の突き当たりの部屋に泊まった。
- ☐ 手前　this side／跟前／바로 앞
  - 例 一つ手前の駅で降りた。
- ☐ 端　end／边缘、端／끝
  - 例 右端の人が田中さんです。／机の端に置く
- ☐ 向かい　across／対面／맞은 편
  - 例 向かいのビル
- ☐ 向こう　over there／対面／맞은 편
  - 例 道の向こう側／向こうに着いたら電話して。
- ☐ リビング（ルーム）
  - living room／起居室／거실

試験に出る 重要語句・文型リスト

大きさ・形・材料
Material size, shape ／大小・形状・材料／크기・형태・재료

- □ 2倍（ばい） double ／两倍／2배
- □ 2分の1（ぶん） half ／二分之一／2분의 1
- □ 2割（わり） 20 percent ／百分之二十／20 퍼센트
- □ 50パーセント 50 percent ／百分之五十／50 퍼센트
- □ アルコール alcohol ／酒精／알콜
  - 例 アルコールの入ってない飲み物がいいんですが。
- □ 缶（かん） can ／罐子／캔
  - 例 缶コーヒー、缶づめ（canned food／罐头／통조림）、空き缶、缶切り
- □ 三角（さんかく） triangle ／三角／삼각
- □ 四角（しかく） square ／四角／사각

形容詞
Adjective ／形容词／형용사

- □ 暑い（あつ） hot ／热的／덥다
  - 例 暑い日、暑い夜
- □ 薄い（うす） thin ／薄的／얇다
  - 例 薄い本だから、すぐに読めるでしょう。
- □ かっこいい cool ／帅的／멋있다
  - 例 かっこいい車
- □ 地味（な）（じみ） plain ／朴素的／수수한
  - 例 彼はまじめで、服もいつも地味だ。
- □ 長細い（ながぼそ） long and thin, narrow ／细长的／가늘고 길다
  - 例 長細い箱のほうがいい。
- □ 細長い（ほそなが） long and thin, narrow ／细长的／가늘고 길다
  - 例 棒のように、細長い形をしたお菓子です。
- □ 派手（な）（はで） flashy ／华丽的／화려한
  - 例 あまり派手なのより、落ち着いた感じのほうがいい。
- □ 丸い（まる） round ／圆的／동그랗다
  - 例 丸いテーブル

人
People ／人／사람

- □ 奥さん／奥様（おく／おくさま） wife ／夫人／부인
  - 例 田中さんの奥さん
- □ お年寄り（としよ） elderly ／老人／노인
  - 例 お年寄りに席をゆずる
- □ 係／係り（かかり） person in charge ／担任／담당
  - 例 受付の係、係の人、係員
- □ 参加者（さんかしゃ） participant ／参加者／참가자
- □ 自分（じぶん） myself ／自己／자기
  - 例 自分の持ち物、自分で決める
- □ 主人／だんなさん（しゅじん） husband ／主人、（他人的）丈夫／남편
  - 例 田中さんのご主人
- □ 上司（じょうし） boss ／上司／상사
  - 例 上司に報告する、上司に相談する
- □ 親戚（しんせき） relative ／亲戚／친척
  - 例 親戚が集まる
- □ 担当者／担当の者（たんとうしゃ／たんとうのもの） person in charge ／负责人／담당자
  - 例 担当の者に代わりますので、しばらくお待ちください。

こそあど
ko-so-a-do

- □ こういう this kind of ／这样的／이런
  - 例 こういう経験はありませんか。
- □ そういう that kind of ~ you are talking about ／那样的／그런
  - 例 そういうことを言いたいんじゃありません。

聴解

- □ ああいう　that kind of 〜 we know ／那样的／저런
  - 例　ああいう事故は二度と起きてほしくない。
- □ このあたり　about here ／这附近／이 부근
  - 例　このあたりに食べるところはありませんか。
- □ それくらい　that much ／那么点／그 정도
  - 例　それくらい自分でやってほしい。
- □ どのような　what kind ／怎样的／어떤
  - 例　どのような活動をしているのですか。

「〜ない」の形

- □ あまり〜ない
  - not 〜 much, not very ／不怎么、不大／별로 〜 아니다
  - 例　あまりおいしくなかった。
- □ 全然〜ない　not at all ／一点儿都不／전혀 〜 아니다
  - 例　全然おもしろくなかった。
- □ そんなに〜ない
  - not 〜 that ／并不太／그렇게 〜 아니다　例　そんなに安くなかった。

その他　Other ／其他／그 밖

- □ かまわない　don't mind, don't care, it is fine ／不顾、不管／상관없다
  - 例　お返事は来週でもかまいません。
- □ ごちそうする
  - to treat ／请客／대접하다
  - 例　今日は私がごちそうします。
- □ しかも　furthermore ／而且、但／게다가
  - 例　おいしくて、しかも安かった。
- □ そう言えば　that reminds me, speaking of that ／这样说来／그러고보면
  - 例　そう言えば、もうすぐオリンピックですね。
- □ そうなんだ　Really?, Yeah that's right. ／是吧／그렇다
  - 例　「来月、引っ越しするんです。」「へー、そうなんだ。」
- □ ついでに　while you're at it, using the opportunity ／顺便／하는 김에
  - 例　出かけるの？　じゃあ、ついでにこれをポストに出してくれる？

● 著者

渡邉 亜子（わたなべ あこ）	元明海大学非常勤講師
菊池 富美子（きくち ふみこ）	明治大学国際日本学部兼任講師
日置 陽子（ひおき ようこ）	元愛知淑徳大学非常勤講師
黒江 理恵（くろえ りえ）	岡山大学非常勤講師
森本 智子（もりもと ともこ）	元広島YMCA専門学校専任講師
高橋 尚子（たかはし なおこ）	熊本外語専門学校専任講師
有田 聡子（ありた さとこ）	弥勒の里国際文化学院日本語学校専任講師

レイアウト・DTP	オッコの木スタジオ
カバーデザイン	花本浩一
翻訳	Ako Lindstrom／王雪／崔明淑
本文イラスト	杉本智恵美

日本語能力試験 完全模試 N3

平成25年（2013年）5月10日　初版第1刷発行
令和 3年（2021年）7月10日　　　第7刷発行

著　者	渡邉亜子・菊池富美子・日置陽子・黒江理恵・森本智子・高橋尚子・有田聡子
発行人	福田富与
発行所	有限会社Jリサーチ出版
	〒166-0002　東京都杉並区高円寺北2-29-14-705
電　話	03(6808)8801（代）　FAX 03(5364)5310
編集部	03(6808)8806
	https://www.jresearch.co.jp
印刷所	株式会社シナノ パブリッシング プレス

ISBN 978-4-86392-137-5
禁無断転載。なお、乱丁、落丁はお取り替えいたします。

©2013　Ako Watanabe, Fumiko Kikuchi, Yoko Hioki, Rie Kuroe, Tomoko Morimoto, Naoko Takahashi, Satoko Arita
　　　　All rights reserved.　Printed in Japan

日本語能力試験 完全模試 シリーズ

ゼッタイ合格！
日本語能力試験 完全模試
N3

Japanese Language Proficiency Test N3—Complete Mock Exams
日语能力考试　完全模拟试题　N3
일본어능력시험　완전모의고사　N3

渡邉亜子／菊池富美子／日置陽子／黒江理恵／森本智子／高橋尚子／有田聡子●共著

模擬試験●第1～3回
問題

※最後に解答用紙があります。

★この別冊は、強く引っ張ると取りはずせます。
The appendix can be removed by pulling it out strongly.
另册部分可以拆卸。
이별책은힘껏잡아당기면뗄수있습니다.

Jリサーチ出版

模擬試験 第1回

N3

げんごちしき(もじ・ごい)

(30 ぷん)

模擬試験 第1回

問題1 ＿＿＿＿のことばの読み方として最もよいものを、1・2・3・4から一つえらびなさい。

1 この石けんは、天然の油だけで作られている。
　1 てんけん　　2 てんせん　　3 てんぜん　　4 てんねん

2 家族と親しい友人を集めて、結婚パーティーを行った。
　1 けわしい　　2 したしい　　3 くわしい　　4 くやしい

3 むこうの岸まで泳いでみよう。
　1 きし　　2 りく　　3 とち　　4 たに

4 あさってまでに、この資料を提出してください。
　1 てしゅう　　2 てしゅつ　　3 ていしゅう　　4 ていしゅつ

5 どちらのコーヒーがおいしいか、比べてみてください。
　1 ならべて　　2 くらべて　　3 しらべて　　4 えらべて

6 日曜日の朝、バスに乗ったら、乗客がほとんどいなかった。
　1 じょうぎゃく　　2 しょうぎゃく　　3 じょうきゃく　　4 しょうきゃく

7 都会で生活するのは、お金がかかる。
　1 つあい　　2 とあい　　3 つかい　　4 とかい

8 日焼けをし過ぎて、肌が真っ赤になってしまった。
　1 ひふ　　2 はだ　　3 のう　　4 こし

問題2 ＿＿＿のことばを漢字で書くとき、最もよいものを、1・2・3・4から一つえらびなさい。

⑨ 計算を間違えて、合計きんがくが違っている。
　1　金価　　　　2　金学　　　　3　金額　　　　4　金格

⑩ ここにゴミをすてないでください。
　1　捨て　　　　2　素て　　　　3　吸て　　　　4　落て

⑪ 最近ずっと頭痛がするので、けんさを受けた。
　1　建査　　　　2　健査　　　　3　検査　　　　4　険査

⑫ この犬はとてもかしこい。
　1　偉い　　　　2　賢い　　　　3　優い　　　　4　利い

⑬ たまねぎを切ったら、なみだが出てきた。
　1　泳　　　　　2　泣　　　　　3　汗　　　　　4　涙

⑭ 次の電車は、この駅をつうかする。
　1　通過　　　　2　通貨　　　　3　通加　　　　4　通下

模擬試験 第1回

問題3 （　　）に入れるのに最もよいものを、1・2・3・4から一つえらびなさい。

15 あの選手は今日は（　　）がよくないね。体調が悪いのかなあ。
 1 動き　　2 働き　　3 行き　　4 戻り

16 今年は給料が少しだけ（　　）した。
 1 トップ　　2 チェック　　3 アップ　　4 カット

17 上司に相談に（　　）もらった。
 1 乗って　　2 聞いて　　3 会って　　4 受けて

18 これから、先日の会議で決まったことを（　　）いたします。
 1 研究　　2 発表　　3 講義　　4 表現

19 昨日、夜中に（　　）友達が訪ねて来て、驚いた。
 1 しばらく　　2 なるべく　　3 とにかく　　4 いきなり

20 台風が近づいているから、これから雨が（　　）なるだろう。
 1 つらく　　2 はげしく　　3 するどく　　4 おそろしく

21 この机は脚が（　　）していないから、使わないほうがいい。
 1 すっかり　　2 うっかり　　3 しっかり　　4 そっくり

22 朝、ひげを（　　）時間がなかった。
 1 そる　　2 とる　　3 かる　　4 おる

23 コンテストの出場（　　）の中には、外国人もいた。
 1 家　　2 人　　3 者　　4 員

24 大学時代のサークルの（　　）たちと、久しぶりに集まった。
 1 年上　　2 仲間　　3 親友　　4 同僚

25 こんなに辛い料理を食べても、リンさんは（　　）な顔をしている。
　　1　人気　　　　2　勇気　　　　3　本気　　　　4　平気

問題4　＿＿＿＿に意味が最も近いものを、1・2・3・4から一つえらびなさい。

3分（1問30秒）

26 あそことうちとでは、会社の歴史が違う。
　　1　近さ　　　　2　高さ　　　　3　広さ　　　　4　古さ

27 明日は休日だからたっぷり寝よう。
　　1　かるく　　　2　たくさん　　3　ふかく　　　4　やさしく

28 課長はこの結果に不満のようだ。
　　1　うれしい　　2　楽しい　　　3　驚いている　4　いやだ

29 今日の授業は退屈だった。
　　1　おそい　　　2　おもしろくない　3　むずかしい　4　きびしい

30 急に仕事が入ったので、週末の旅行の予約を取り消した。
　　1　かえた　　　2　のばした　　3　やめた　　　4　へらした

模擬試験 第1回

問題5 次のことばの使い方として最もよいものを、1・2・3・4から一つえらびなさい。

[31] 入力
1　このドアは重いので、入力して押してください。
2　画面のこの部分に名前を入力してください。
3　彼は新しい企画に入力している。
4　携帯電話の調子が悪く、電源を入力しても動かない。

[32] 付き合う
1　家の近くで偶然、同僚に付き合った。
2　友達がショッピングに付き合ってくれた。
3　先週、友達の結婚式に付き合った。
4　この仕事は私に付き合っている。

[33] スペース
1　家の前に車を止めるスペースがある。
2　マラソンはスペースを考えて走らないと、最後まで続かない。
3　試験の日まで、あと1日スペースがある。
4　会議が始まるまであと10分しかスペースがない。

[34] まぶしい
1　部屋が暗いので、電気をまぶしくした。
2　彼女はいつもまぶしい色の服を着ている。
3　まぶしいので、カーテンを閉めた。
4　靴をみがいたら、まぶしくなった。

[35] 雇う
1　このアルバイトの条件は、週3日以上雇える人だ。
2　求人広告を出したら、15人もの人が雇って来た。
3　遅刻ばかりしていたので、仕事を雇われた。
4　この会社では、毎年3人の新入社員を雇っている。

模擬試験
第1回

N3

言語知識(文法)・読解
(70分)

模擬試験 第1回

問題1 つぎの文の（　）に入れるのに最もよいものを、1・2・3・4から一つえらびなさい。

1 人気商品だから、売り切れない（　　　）早めに買っておこう。
　1　あいだに　　　2　うちに　　　3　かぎり　　　4　かわりに

2 エアコンを買い替え（　　　）、1か月の電気代が1500円も安くなった。
　1　たところ　　　2　たてで　　　3　たって　　　4　たばかりの

3 父親「外国から来た言葉はカタカナで書くんだよ。」
　子ども「じゃあ、ミカンは昔から日本にある言葉な（　　　）、なんでカタカナで書くの？」
　1　から　　　2　ために　　　3　にしては　　　4　のに

4 （動物病院で）
　A「手術にはかなりのお金がかかりますよ。」
　B「この子を助ける（　　　）なら、いくらでも払います。」
　1　べき　　　2　はず　　　3　ため　　　4　せい

5 A「火事の原因は何？」
　B「まだ、よくわからないらしいけど、ストーブが（　　　）だったそうよ。」
　1　つけてある　　　2　つけっぱなし　　　3　つけている　　　4　つけておく

6 A「明日も会社、休みますか。」
　B「いえ、熱（　　　）下がれば、行けると思います。」
　1　こそ　　　2　を　　　3　さえ　　　4　も

7 A「歓迎会のこと、彼女が忘れる（　　　）んだけど、どうしたのかなあ。」
　B「忙しいんだよ、きっと。昨日も遅くまで残業だったみたいだよ。」
　1　しかない　　　2　はずがない　　　3　わけじゃない　　　4　とはかぎらない

8 A「家庭料理ですが、どうぞ（　　　）。」
　 B「ありがとうございます。いただきます。」
　 1　食べなさい　　　　　　　　　　　2　いただいてください
　 3　召し上がってください　　　　　　4　お食べになられて

9 A「あれ、この店、今日休み？」
　 B「1月15日〜22日まで（　　　）って書いてあるね。」
　 1　休んでもいいでしょうか　　　　　2　休ませています
　 3　休んでいただきます　　　　　　　4　休ませていただきます

10 A「スキーはどうだった？」
　　B「スキー場は外国人（　　　）で、日本じゃないみたいだったよ。」
　　1　ばかり　　　2　ほど　　　3　にかぎらず　　　4　をめぐって

11 母「テーブルの上に置い（　　　）お弁当、持った？」
　　娘「うん、持った。ありがとう。」
　　1　て　　　2　てくる　　　3　ている　　　4　ておいた

12 妻「診察の結果はどうだったの？」
　　夫「うん、タバコをやめる（　　　）。」
　　1　ようになっている　　　　　　　2　ように感じる
　　3　と言われた　　　　　　　　　　4　ように言われた

13 A「黒板の字、見える？」
　　B「あの先生の字はいつも小さくて見えないよ。もっと大きく（　　　）。」
　　1　書いてほしいね　　　　　　　　2　書くことにするね
　　3　書いてくれないね　　　　　　　4　書くわけにはいかないね

模擬試験 第1回

問題2 つぎの文の ★ に入る最もよいものを、1・2・3・4から一つえらびなさい。

5分（1問50秒）

（問題例）

つくえの ＿＿＿ ＿＿＿ ★ ＿＿＿ あります。

1　が　　　　2　に　　　　3　上　　　　4　ペン

（解答のしかた）

1．正しい文はこうです。

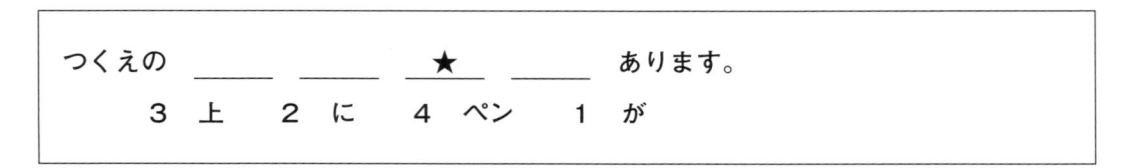

> つくえの ＿＿＿ ＿＿＿ ★ ＿＿＿ あります。
> 　　　　3　上　　2　に　　4　ペン　　1　が

2．★ に入る番号を解答用紙にマークします。

（解答用紙）　（例）　① ② ③ ●

14 ＿＿＿ ＿＿＿ ★ ＿＿＿ にかけてきれいに咲きます。

1　桜は　　　　2　3月末から　　　3　公園の　　　4　4月上旬

15 ＿＿＿ ＿＿＿ ★ ＿＿＿ 作ったが、うまくできなかった。

1　とおりに　　2　書いてある　　　3　本に　　　　4　料理の

16 ＿＿＿ ＿＿＿ ★ ＿＿＿ 、とても心が落ち着く。

1　川の流れる　2　に加えて　　　　3　音も聞こえて　4　虫の音

17 近所づきあいが、＿＿＿ ＿＿＿ ★ ＿＿＿ 、よくわかった。

1　どんなに　　2　大切なものか　　3　うえで　　　4　生活する

18 この問題 ＿＿＿ ＿＿＿ ★ ＿＿＿ わからなくなる。

1　ほど　　　　2　考える　　　　　3　は　　　　　4　考えれば

模擬試験 第1回

問題3 つぎの文章を読んで、文章全体の内容を考えて、 19 から 23 の中に入る最もよいものを、1・2・3・4から一つえらびなさい。

変わるサービス

　2、3年前、ある店で洋服を買った。支払いが済むと、店員は紙の袋に入れた品物を持って私のところに 19 。私は手を伸ばして品物を受け取ろうとした。 20 、店員は「そこまでお持ち致します」と言って、紙の袋を持って私と一緒に店の入り口まで来た。そして、入り口で私に袋を渡して「ありがとうございました」と言った。

　私は、 21 は初めてだったので、ずいぶん丁寧な店だと感じた。しかし、その後、いろいろな店で同じような応対を受けるようになった。

　日本の店のサービスの良さについては外国の人たちからよく言われることだが、客の気持ちをさらに 22 と、サービスの仕方はいつも工夫され、変化していることを実感した。

　最初は、こんなにまで丁寧にしなくてもいいのではないかとも思ったが、このサービスに慣れてくると、そうしてもらうことが今では普通になってしまって、特別のサービスとは 23 。これからどのようなサービスが考えられるのか、楽しみでもある。

19
1　戻る　　　2　戻ろうとした　　　3　戻ろう　　　4　戻ってきた

20
1　つまり　　　2　そして　　　3　それから　　　4　すると

21
1　このような応対　　　2　あのような応対
3　あの店の応対　　　4　この店の応対

22
1　満足しよう　　　2　満足させられる　　　3　満足して　　　4　満足させよう

23
1　感じたり感じなかったりである　　　2　感じなくなってきている
3　感じさせられる　　　4　感じるにちがいない

模擬試験 第1回

問題4 つぎの(1)から(4)の文章を読んで、質問に答えなさい。答えは、1・2・3・4から最もよいものを一つえらびなさい。

12分(1大問3分)

(1)
これは、国際交流クラブ代表の田中さんがメンバーに送ったメールである。

国際交流クラブ(ICC)の皆さんへ

こんにちは。ICC 代表の田中です。

今年の国際交流会に向けて、下記のとおり、第1回目の会議を行います。
日時　：　4月20日(木)17:00～19:00
場所　：　市民会館　会議室

出席できるかどうか、4月6日(木)までにお返事ください。
また、出席できない人は、4月17日から19日の間で夕方の会議に参加できる日をあわせてお知らせください。

今回の会議では、今年の交流会の内容についてアイデアを出し合いますので、多くの人に参加していただきたいと思います。よろしくお願いします。

田中

---

24 4月20日の会議に<u>出席できない</u>人は、何をしなければならないか。

1　第1回目の会議に出席する。
2　4月6日までに都合の良い日を伝える。
3　4月17日から19日の間に市民会館へ行く。
4　交流会についてのアイデアをメールで送る。

(2)

古本を集めています！

　ご自宅に、読まなくなった本や人にあげられる本はありませんか？　東京ボランティアセンターでは古本を集めています！

　集まった本は、6月13日（日）に行う「古本バザー」で販売し、その売り上げを"国際児童センター"に全額寄付します。

　ご協力くださる方は、古本をお持ちになり、5月31日（月）までに東京ボランティアセンターへお越しください。なお、古本は雑誌や漫画でもかまいません。今回対象となる本は下記の通りです。みなさんのご協力をお願いします。

　　　対象とする本　　：　一般の書籍のほか、絵本・雑誌・漫画など
　　　対象としない本　：　教科書・問題集、また、カタログ・フリーペーパーなど

[25] この文章を見て、協力したいと思った人の行動として、正しいものはどれか。

1　いらない本を売って、そのお金を国際児童センターへ届ける。
2　使わなくなった教科書があれば、古本バザーの会場へ持っていく。
3　いらない漫画があれば、ボランティアセンターへ送る。
4　いらない絵本があれば、ボランティアセンターへ持っていく。

(3)

　先日、洋菓子店のウェブサイトで注文したお菓子が家に届いた。知り合いの家へ持って行く贈り物だったのだが、プレゼント用だと入力するのを忘れてしまい、ラッピングがされていなかった。次の日の朝、よく行く近所の花屋に駆け込んで事情を説明すると、すぐにきれいな紙で箱を包み、リボンをつけてくれた。「お代は？」と聞くと、いつも買っていただいているのでけっこうです、と笑顔で答えてくれ、さらに感激した。急いでいたので本当に助かった。

[26] 本当に助かったとあるが、何が助かったと言っているか。
1　お菓子の箱に無料で花とリボンがつけられたこと
2　お菓子屋さんがすぐに新しい品物を届けてくれたこと
3　花屋さんがお菓子の箱をきれいに包んでくれたこと
4　インターネットで商品を注文することができたこと

(4)

　「共感覚」という言葉がある。共感覚を持っている人は、音を聞いたり、文字や言葉を見たりすると、それと同時に色なども感じるという。その色は人によって違い、共感覚を持っている人すべてが同じというわけではない。たいていの場合、彼らはそれを特別なことだと気づいていない。それを知ると驚くが、「自分に必要なもので、失いたくない」と感じるのだという。最近の研究では、赤ちゃんのころは誰でも共感覚を持っているとも言われている。普通は成長すると失われていくものなのだが、一部の大人には残ってしまうのだそうだ。

[27] この文章について、正しいものはどれか。
1　共感覚は、子どもから大人まで、すべての人が持っているものだ。
2　共感覚が珍しいものだと知ると、たいていの人は嫌だと感じる。
3　子どものころ、共感覚を持っていても、大人になるとなくなることが多い。
4　人が共感覚で感じる色に違いはなく、皆同じである。

問題5

つぎの(1)と(2)の文章を読んで、質問に答えなさい。答えは、1・2・3・4から最もよいものを一つえらびなさい。

(1)

　日本には四季があり、昔から季節ごとに「旬」の食材を楽しんできました。例えば、夏の野菜と言えばキュウリやスイカ、冬の野菜と言えば大根が代表的です。しかし、最近は、ほとんどの食材が一年中スーパーで売られ、「旬」が分からない消費者が増えています。それは残念なことです。

　旬のものを食べることには多くの長所があります。まず、その食材の旬の時期に収穫されたものは、最もよい条件で自然の恵みを十分に蓄えながら育ったものです。当然、味は最高においしく、栄養も豊富です。また、旬のものは、その季節に私たちの体が必要とするものを与えてくれます。例えば、夏の野菜のキュウリは水分が多く、汗で失われた水分を補ってくれます。さらに、旬のものを選ぶことは環境にもいいのです。一年を通じて生産が可能なハウス栽培は便利ですが、温度管理が必要なため、ガスや電気を大量に消費し、環境に負担となるのです。

　ぜひ旬を考えて食材を選びましょう。消費者がもっと旬の食材を選ぶようになれば、スーパーにも季節に合った食材が増えていくでしょう。

（注1）自然の恵み：食べ物や資源など、自然から得られるありがたいもの
（注2）ハウス栽培：ビニールを使った小屋の中で、温度を管理しながら野菜などを育てること

28 ①「旬」が分からないとは、どのような意味か。
1 いつが旬か、わからない。
2 どこで旬のものが買えるか、わからない。
3 旬という字の読み方がわからない。
4 旬という言葉の意味がわからない。

29 ②長所として、この文章の中で**書かれていない**ことはどれか。
1 季節に合ったものは、余分なエネルギーを使わずに育てられる。
2 旬のものには、その時期に体が必要とする栄養が多く含まれている。
3 温度さえ管理すれば、一年中それを生産し食べることができる。
4 自然な状態で育ったものを食べるので、体にも環境にもいい。

30 この文章の中で一番言いたいことはどれか。
1 消費者はそれぞれの食材の旬の時期を覚えなければならない。
2 消費者には、旬の良さを知り、旬を意識した食生活をしてほしい。
3 「旬」は日本の食文化であり、守っていくべきである。
4 旬の食材は大変貴重であり、味わって食べるのがいい。

(2)

　私にとって、中学校でのサッカー部の思い出は忘れられないものになった。中でも、コーチの山下先生は、私の人生に最も影響を与えてくれた人だ。

　山下先生はとにかく厳しかった。朝からグラウンドを何周も走らされ、チームの誰かがミスをすれば全員が叱られた。力を抜くことは決して許されなかった。その辛さに耐えられず、2年生になる前にサッカー部を辞めようと思った。ところが、2年生になっても辞めることはなかった。少しずつ自分が成長している実感があり、また、試合に勝った時やゴールを決めた時の喜びを感じ始めていたからだ。

　時には調子が悪くなって、悩む時期もあった。そんな時でも、山下先生は試合のメンバーから私を外さず、いつも励ましてくださった。また、チームの仲間が支えてくれた。

　山下先生との出会いを通して、努力をする大切さや人を思いやる大切さを学んだ。この二つは、教師になった今も、常に心にとめていることだ。

　（注）思いやる：その人の気持ちになって考える

[31] 辞めることはなかったのは、なぜか。
1 先生が怖くて、辞めたいと言えなかったから。
2 途中で辞めることが許されなかったから。
3 一度でも試合でゴールを決めるまで辞めたくなかったから。
4 自分に力がついてきたと感じていたから。

[32] この文章を書いた人の調子が悪かった時、山下先生はどうしたか。
1 より厳しい練習をさせた。
2 試合を休ませ、元の状態に戻るまで待った。
3 ほかのメンバーにこの人を励ますように言った。
4 この人の力を信じて、機会を与え続けた。

[33] 山下先生の指導を受けた経験は、この文章を書いた人の何に最も影響を与えたか。
1 スポーツに対する考え方
2 日々の行動に対する考え方
3 友達との付き合い方
4 教師という職業に対する見方

問題6 つぎの文章を読んで、質問に答えなさい。答えは、1・2・3・4から最もよいものを一つえらびなさい。

　2011年現在、日本の人口1億2,780万人のうち、65歳以上の高齢者は2,975万人で、過去最高になった。また、65歳以上の高齢者がいる家庭のうち、約25％が一人暮らしの家庭、約30％が夫婦のみの家庭で、一人または夫婦のみで暮らす高齢者が年々増加している。①そうした状況の中で、利用者が増えているのが、配食サービスだ。
　配食サービスとは、栄養バランスの良い食事を定期的に届けるサービスで、1食400円ぐらいで利用できる。配食サービスの主な目的は2つある。
　1つ目は、栄養バランスを一番に考えた食事を届けることによって、利用者の健康維持に役立つことだ。その栄養バランスの良さが注目され、最近では、高齢者ばかりでなく、若い人の利用も増えているそうだ。特に、子どもを産んだ直後の女性や、健康には気をつけていても忙しすぎる人などが利用しているという。
　2つ目は、食事を届ける時に「お変わりありませんか」などと聞くことによって、利用者の健康状態を確認したり、社会的孤立を防いだりすることだ。実際に、配食サービスの効果を調べたある調査によると、「定期的に人が来てくれるので、急に倒れても早く対応してもらえるという②安心感がある」「人と話す機会が増えた」などの回答が多かったそうだ。
　配食サービスを行う企業や団体が増え、利用者は、自分に合った食事の味や費用、配食の回数などが選びやすくなっている。今後、利用者はますます増えるだろう。

　（注）孤立：一人だけで、つながりや助けがないこと

[34] ①そうした状況とは、どのような状況か。
1　65歳以上の高齢者が増え、日本の人口の約3分の1になった。
2　人口に占める65歳以上の高齢者の割合が、日本が世界で一番高くなった。
3　一人暮らしをしている人のうち、4人に1人が65歳以上の高齢者だ。
4　65歳以上の高齢者がいる家庭の半分以上は、子や孫と住んでいない。

[35] ここで言う、②安心感とはどのようなものか。
1　専門家の栄養管理によって、病気を予防できる。
2　病気になった時に誰かに気付いてもらえる。
3　自分の話をよく聞いてくれる人がいる。
4　調子が悪くなったら、すぐに医者が来てくれる。

[36] この文章で書かれていることと合っているものはどれか。
1　配食サービスは、高齢者向けに日本で最初に始まったサービスである。
2　栄養面を考えて、さまざまな年代の人が配食サービスを利用するようになった。
3　配食の内容や回数は、専門家が利用者一人ひとりに合わせて決めてくれる。
4　配食サービスの利用が広がったことで、病気になる高齢者が減った。

[37] この文章は主に何について書かれているか。
1　配食サービスの課題
2　配食サービスの種類
3　配食サービスの今後
4　配食サービスの良さ

問題7 右のページは、ABC料理教室の案内である。これを読んで、下の質問に答えなさい。答えは、1・2・3・4から最もよいものを一つえらびなさい。

[38] 和食が好きなエリナさんは、4月から料理教室に通って、自分でも簡単な和食を作れるようになりたいと思っている。平日の月～金曜日は毎日仕事があるため、休みの日に通うことにした。エリナさんに合うコースはどれか。

1 ①
2 ②
3 ③
4 ④

[39] 田中さんは、パーティー料理やケーキ作りなどを習うために4月からABC料理教室に通うことにした。田中さんが1回目の授業の時に用意しなければならないものはどれか。

1 会費
2 自分用の箸
3 お菓子を入れる物
4 1000円

ABC料理教室

4月からのコース　ご案内

	コース名	コースの説明	期間	曜日・時間	会費
①	はじめての日本料理	日本料理を一から習い、基本的な味付け、調理法を覚えます。	6か月（全12回）	第1,3 水曜 17時～19時	30,000円
②	日本料理の基本Ⅰ	家庭料理を中心に、日本料理の基本を覚えます。	2か月（全8回）	毎週土曜 14時～16時	20,000円
③	日本料理の基本Ⅱ	「日本料理の基本Ⅰ」を終えた人が受けることができます。	2か月（全8回）	毎週日曜 14時～16時	20,000円
④	和菓子	季節の和菓子を中心に、日本の伝統的なお菓子作りを習います。	1年（全12回）	第3 日曜 10時～12時	35,000円
⑤	洋食・中華の基本	洋食や中華の人気料理を中心に、作り方を覚えていきます。	6か月（全12回）	第2,4 土曜 17時～19時	30,000円
⑥	パーティー料理	特別な日のために、世界の料理やケーキの作り方を習います。	4か月（全8回）	第1,3 水曜 10時～12時	25,000円
⑦	手作りパン	パン作りを基本から習います。家庭でも焼きたてのパンが楽しめます。	1年（全12回）	第3 金曜 17時～19時	35,000円

🍲 お申し込み

・各教室、電話、インターネットでお申し込みができます。
・初回の2週間前までにお願いします。
・お申し込みが完了したら、ABC料理教室から会費の払込用紙が届きます。

🍲 会費のお支払い

・銀行またはコンビニエンスストアでお支払いください。
・各教室でもお支払いいただけます。払込用紙をお持ちください。
・初回の1週間前までにお願いします。

🍲 持ちもの

エプロン、三角巾、テキスト、会員カード、筆記用具
　※上記に加え、初回のみ、テキスト代（1,000円）をお持ちください。
　※「手作りパン」の方は、パンを持ち帰るためのビニール袋、「和菓子」の方は、お菓子を持ち帰るための容器もご用意ください。
　※箸やスプーン、フォークはこちらでもご用意しています。

模擬試験
第1回

N3

聴　解
（ちょうかい）

（40分）

模擬試験 第1回

問題1

問題1では、まず質問を聞いてください。それから話を聞いて、問題用紙の1から4の中から、最もよいものを一つえらんでください。

れい

1　きゃくをかいぎ室にあんないする
2　しりょうをコピーする
3　きゃくにお茶を出す
4　かいぎ室のエアコンをつける

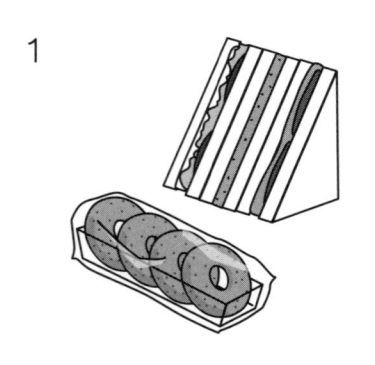

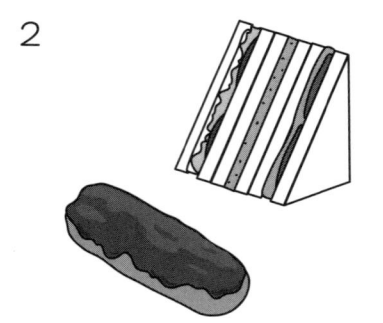

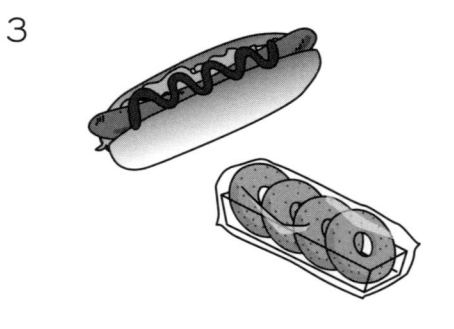

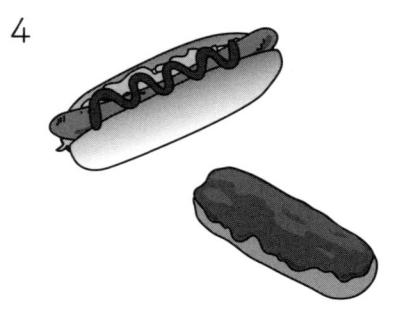

1ばん

2ばん

1 デザインをかくにんする
2 けいたい電話に電話する
3 とりひき先にれんらくする
4 うちあわせに行く

3ばん

1 かいひをはらう
2 花を買う
3 そつぎょう生にお礼を言う
4 メッセージを書く

4ばん

1 11時15分
2 11時45分
3 12時15分
4 12時45分

模擬試験 第1回

5ばん

1 クッキー
2 おさけ
3 ジャム
4 チーズ

6ばん

1 つくえをかたづける
2 ごみをすてる
3 ポスターをはがす
4 お茶を冷やしておく

問題2

問題2では、まず質問を聞いてください。そのあと、問題用紙を見てください。読む時間があります。それから話を聞いて、問題用紙の1から4の中から、最もよいものを一つえらんでください。

れい

1　ぐあいが悪かったから
2　ねぼうしたから
3　セミナーに行きたくないから
4　お昼を食べていたから

1ばん

1 とりひき先に古いサンプルをわたした
2 注文のかずをまちがえた
3 かいぎの時間をまちがえてつたえた
4 スピーチで人の名前をまちがえた

2ばん

1 本館301
2 本館302
3 別館501
4 別館502

3ばん

1 おさけのしゅるいが少なかったから
2 へやがよくなかったから
3 料理がおいしくなかったから
4 ふんい気がよくなかったから

4ばん

1 知っている人が通っているから
2 知っている人のおくさんが先生だから
3 家から近くて、料金も安いから
4 中国の人にすすめられたから

5ばん

1 はれ
2 くもり
3 雨
4 ゆき

6ばん

1 へやが広いこと
2 やちんが安いこと
3 へやが南むきであること
4 駅から近いこと

問題3

問題3では、問題用紙に何もいんさつされていません。この問題は、ぜんたいとしてどんなないようかを聞く問題です。話の前に質問はありません。まず話を聞いてください。それから、質問とせんたくしを聞いて、1から4の中から、最もよいものを一つえらんでください。

― メモ ―

問題4

24~29 CD1

問題4では、えを見ながら質問を聞いてください。やじるし（→）の人は何と言いますか。1から3の中から、最もよいものを一つえらんでください。

れい

模擬試験 第1回

1ばん

2ばん

3ばん

4ばん

問題 5

問題5では、問題用紙に何もいんさつされていません。まず文を聞いてください。それから、そのへんじを聞いて、1から3の中から、最もよいものを一つえらんでください。

― メモ ―

模擬試験 第2回

N3

げんごちしき(もじ・ごい)

(30ぷん)

模擬試験 第2回

問題1 ＿＿＿のことばの読み方として最もよいものを、1・2・3・4から一つえらびなさい。

1 風邪を予防するために、よく手を洗っている。
　　1　ようぼう　　2　ようほう　　3　よほう　　4　よぼう

2 彼はこの試験の結果に満足していない。
　　1　まんぞく　　2　まんそく　　3　まぞく　　4　まそく

3 将来は、貧しい人々を助ける仕事をしたい。
　　1　おとなしい　　2　なつかしい　　3　まずしい　　4　はげしい

4 いつも通る道が渋滞していたので、違う道を通ることにした。
　　1　しょ　　2　たい　　3　みん　　4　よう

5 この会社の製品は高く評価されている。
　　1　へいが　　2　へいか　　3　ひょうが　　4　ひょうか

6 男性と女性に分かれて座ってください。
　　1　わかれて　　2　かかれて　　3　きかれて　　4　おかれて

7 この自動車には最新の技術が使われている。
　　1　きじゅつ　　2　きじつ　　3　ぎじゅつ　　4　ぎじつ

8 日本の首都は東京です。
　　1　しゅうと　　2　しゅと　　3　しゅうど　　4　しゅど

問題2 ＿＿＿のことばを漢字で書くとき、最もよいものを、1・2・3・4から一つえらびなさい。

9 大学では政治学をせんもんに勉強しました。
1 専聞　　　2 専間　　　3 専問　　　4 専門

10 かべに大きな絵がかざってある。
1 置って　　2 掛って　　3 飾って　　4 貼って

11 大事なしりょうを忘れてきてしまった。
1 原料　　　2 材料　　　3 送料　　　4 資料

12 この店の料理は味がうすい。
1 低い　　　2 薄い　　　3 弱い　　　4 浅い

13 給料のいい仕事をさがしている。
1 探して　　2 求して　　3 職して　　4 募して

14 このやり方で正しいのかふあんになった。
1 不案　　　2 不安　　　3 不暗　　　4 不合

模擬試験 第2回

問題3 （　　）に入れるのに最もよいものを、1・2・3・4から一つえらびなさい。

[15] 今日はごはんを作る時間がないから、冷凍（　　）を温めて食べよう。
　　1　食欲　　　　2　食品　　　　3　食料　　　　4　食事

[16] あの人はいつも、（　　）なデザインの服を着ている。
　　1　シンプル　　2　サンプル　　3　レンタル　　4　タイトル

[17] 来年、家族で海外旅行に行く計画を（　　）いる。
　　1　立てて　　　2　乗って　　　3　かけて　　　4　上げて

[18] 妻は今、（　　）に帰っている。
　　1　家庭　　　　2　実家　　　　3　家族　　　　4　親戚

[19] 父は3か月間、休まず働いていたので、（　　）病気になってしまった。
　　1　まあまあ　　2　そろそろ　　3　なかなか　　4　とうとう

[20] 妹は（　　）性格で、あまり話さない。
　　1　ほそい　　　2　おもしろい　3　おとなしい　4　おそい

[21] （　　）の点数で試験に合格した。
　　1　ぎりぎり　　2　ばらばら　　3　わくわく　　4　どきどき

[22] 銀行に行ってお金を（　　）来よう。
　　1　落として　　2　おろして　　3　取って　　　4　付けて

[23] 都会に住むと、いろいろと生活（　　）がかかる。
　　1　費　　　　　2　賃　　　　　3　代　　　　　4　料

[24] 明日の朝が締切だから、今夜は（　　）で仕事をしないと間に合わない。
　　1　平日　　　　2　日中　　　　3　夜中　　　　4　徹夜

25 あなたの本当の気持ちを（　　）に話してほしい。
1　正解　　　2　正式　　　3　正確　　　4　正直

問題4 ＿＿＿に意味が最も近いものを、1・2・3・4から一つえらびなさい。

3分（1問30秒）

26 道を間違えて、逆の方向に行ってしまった。
1　斜め　　　2　手前　　　3　先　　　4　反対

27 このタイプの携帯電話は、今はもう生産されていない。
1　色　　　2　大きさ　　　3　型　　　4　値段

28 子供が部屋から出て来ないので、のぞいてみた。
1　見て　　　2　開けて　　　3　呼んで　　　4　聞いて

29 そんな乱暴な運転をしていると、いつか事故を起こすよ。
1　速い　　　2　荒い　　　3　下手な　　　4　正しくない

30 大学卒業後どうするかは、じっくり考えてから決めたい。
1　ふかく　　　2　ひとりで　　　3　はやく　　　4　いそいで

模擬試験 第2回

問題5 つぎのことばの使い方として最もよいものを、1・2・3・4から一つえらびなさい。

5分（1問60秒）

31 集団

1 試合前のサッカー選手たちは、気持ちを<u>集団</u>させている。
2 前回と今回の資料を<u>集団</u>にしておきました。
3 狭い道で中学生たちが<u>集団</u>になって歩いているので通れない。
4 参加者は午前10時に駅前に<u>集団</u>してください。

32 老いる

1 この車はもう10年も乗っているので、だいぶ<u>老いて</u>いる。
2 昨日飲んだ牛乳は<u>老いて</u>いたようで、お腹が痛くなった。
3 水をやらなかったので、花が<u>老いて</u>しまった。
4 人間は<u>老いる</u>と病気になりやすい。

33 カット

1 パソコンはパーソナルコンピューターを<u>カット</u>した言い方だ。
2 時間がなくなってきたので、詳しい説明は<u>カット</u>します。
3 夕方スーパーへ行ったら、お弁当の値段が<u>カット</u>されていた。
4 毎日走って、体重を<u>カット</u>した。

34 真剣

1 この説明書は<u>真剣</u>で、わかりやすい。
2 犯人が死んでしまったので、事件の<u>真剣</u>はわからなくなった。
3 私は彼女との結婚を<u>真剣</u>に考えている。
4 彼は絶対に遅刻しない<u>真剣</u>な学生です。

35 損をする

1 株の値段が下がって<u>損をした</u>。
2 この牛乳は先週買ったので、もう<u>損をして</u>いるだろう。
3 試合で<u>損をしない</u>ように、毎日練習している。
4 時間が<u>損をして</u>、全部の問題に答えられなかった。

模擬試験 第2回

N3

言語知識(文法)・読解

(70分)

模擬試験 第2回

問題1 つぎの文の（　　）に入れるのに最もよいものを、1・2・3・4から一つえらびなさい。

1 おすしは作れる（　　）作れるんですが、形が悪いんです。
　1　ものの　　　2　ものが　　　3　ことは　　　4　ことが

2 A「通訳が必要だったら、鈴木さんに頼めばいいんじゃないですか。」
　B「どうかなあ。イギリスで生まれたから英語が話せる（　　）よ。」
　1　です　　　2　ことがある　　　3　とはかぎらない　　　4　ほかない

3 A「うちの子、今、二人とも風邪を引いてるの。」
　B「インフルエンザとか風邪は、若い人（　　）かかりやすいっていうからね。」
　1　ほど　　　2　に限り　　　3　ぐらい　　　4　まで

4 消費者へのアンケートの結果（　　）、デザインを変えることになった。
　1　をもとに　　　2　を通じて　　　3　を除いて　　　4　をこめて

5 アナウンサー「先生、今日はどんな料理を？」
　講師「はい。今日は冷蔵庫に残ったものを使って鍋料理を作ります。」
　アナウンサー「それは忙しい主婦（　　）ありがたいですね。」
　1　に対して　　　2　について　　　3　において　　　4　にとって

6 A「面接の結果はどうでしたか。」
　B「彼女は話す内容（　　）、話し方や態度もとてもよかったよ。もちろん、合格だよ。」
　1　からいって　　　2　まで　　　3　といえば　　　4　だけでなく

7 A「家電製品って、どんどん進歩するよね。特にテレビ。」
　B「そうだね。昔の（　　）すごく薄くなったし、画面は大きくなったし。」
　1　において　　　2　として　　　3　に比べて　　　4　にしたがって

8 （会社で）
　A「田中さん、ＡＢＣ工業の鈴木さんが受付にいらっしゃっています。」
　B「わかりました。すぐ（　　　）と伝えてください。」
　1　お越しになります　　2　いらっしゃいます　　3　おいでになります　　4　伺います

9 　A「次の会議の報告者がまだ決まってないんだけど。」
　　B「じゃあ、私に（　　　）。」
　1　報告するようにしてください　　　　2　報告させてください
　3　ご報告になってください　　　　　　4　報告されてください

10 気温が下がる（　　　）紅葉が進み、山の表情が変わっていく。
　1　としたら　　　2　にしたがって　　3　としても　　　4　に加えて

11 （インタビューで）
　アナウンサー「オリンピック出場決定、おめでとうございます。」
　選手　　　　「ありがとうございます。」
　アナウンサー「今、どんなお気持ちですか。」
　選手　　　　「最高にうれしいです。日本代表（　　　）恥ずかしくないように頑張ります。」
　1　にとって　　　2　としては　　　　3　として　　　　4　としたら

12 　A「この仕事、単純でつまらないね。引き受けなければよかった。」
　　B「引き受けちゃったんだから、今さら（　　　）よ。」
　1　文句を言ったほうがいい　　　　　　2　文句を言われているかもしれない
　3　文句を言ってもしかたがない　　　　4　文句を言っているに違いない

13 （友達の家を訪問して）
　A「ベルを鳴らしていないのに、どうして僕が来たことがわかったの？」
　B「入り口に人が立ったら自動的にベルが（　　　）から。」
　A「へー、それは便利だね。」
　1　鳴るようになっている　　　　　　　2　鳴るようだ
　3　鳴るようになる　　　　　　　　　　4　鳴るようにする

模擬試験 第2回

問題2 つぎの文の ★ に入る最もよいものを、1・2・3・4から一つえらびなさい。

（問題例）

つくえの ___ ___ ★ ___ あります。

1　が　　　　2　に　　　　3　上　　　　4　ペン

（解答のしかた）

1．正しい文はこうです。

つくえの ___ ___ ★ ___ あります。
3　上　　2　に　　4　ペン　　1　が

2． ★ に入る番号を解答用紙にマークします。

（解答用紙）　（例）　① ② ③ ●

14 夏休みの ＿＿ ＿＿ ★ ＿＿ かなり違うようだ。
1 は　　　2 日数や期間　　　3 によって　　　4 会社

15 説明が ＿＿ ＿＿ ★ ＿＿ しまった。
1 かえって　　　2 詳しすぎて　　　3 なって　　　4 わかりにくく

16 推薦状が ＿＿ ＿＿ ★ ＿＿ わけではない。
1 という　　　2 合格する　　　3 必ずしも　　　4 あっても

17 彼の ＿＿ ＿＿ ★ ＿＿ にちがいない。
1 今日も　　　2 ことだ　　　3 遅刻する　　　4 から

18 結婚式 ＿＿ ＿＿ ★ ＿＿ ことになった。
1 出席する　　　2 だけが　　　3 には　　　4 家族と親戚

問題3 つぎの文章を読んで、文章全体の内容を考えて、 19 から 23 の中に入る最もよいものを、1・2・3・4から一つえらびなさい。

おひとり様

　「一人旅」、「一人暮らし」、「一人住まい」の「一人」という言葉には何となく「寂しい」という響きが 19 。しかし、今、日本の社会は一人で行動する「おひとり様」が流行しているのだ。 20 、「おひとり様の海外ツアー」、「おひとり様のカラオケ」、「おひとり様の焼き肉」、「おひとり様の鍋」などである。これまで大勢でしてきたことが一人でもできるような社会になってきたのである。最近では、家族で楽しむおせち料理という 21 と異なる「おひとり様用おせち」もさまざまに商品化され、利用者も増えているようだ。

　大家族から核家族へ変化した日本社会は、さらに核家族から個人へと変化しているようである。しかし、「おひとり様」には決して「一人＝寂しい」というイメージはなく、反対に「気楽な」というプラスのイメージがあるようで、正月の準備でにぎやかな年末の時期、 22 おせち料理を買う人たちの顔も明るい。「おひとり様」とは、自分から進んで「気楽さ」を求める人たちの 23 。

19
1　感じている　　　　　　　　2　感じさせられる
3　感じてよいものだ　　　　　4　感じられる

20
1　たとえば　　　2　つまり　　　3　それから　　　4　しかし

21
1　あれまでのイメージ　　　　2　このイメージ
3　これまでのイメージ　　　　4　あのイメージ

22
1　家族のための　　　　　　　2　自分のための
3　友だちのための　　　　　　4　個人のための

23
1　ことなのである　　　　　　2　ことのはずがない
3　ことといったものだ　　　　4　ことというわけではない

模擬試験 第2回

問題4 つぎの(1)から(4)の文章を読んで、質問に答えなさい。答えは、1・2・3・4から最もよいものを一つえらびなさい。

(1)
林さんの机の上に、先生からのメモが置いてある。

林さん

　つぎの会議は10月22日(木)の午後3時半からにしたいと思います。場所は前と同じ第3会議室です。1月のロバート先生の講演会の準備について話し合う予定なので、メンバーには必ず出席するように伝えてください。もし、どうしても出席できない場合は、19日(月)までにわたしに連絡するように伝えてください。別に指示を出します。また、ほかに会議で話し合いたいことがあれば、同じく19日(月)まで受け付けます。

　　　　　　　　　　　　　　　　　　　　　　　　　　　　　　　　　中村

---

[24] 林さんがほかのメンバーに伝えることはどれか。
1　1月の講演会の会場について考えておくこと
2　会議に出られない場合は、19日までに先生に知らせること
3　会議で何を話し合うか決めて、先生に知らせること
4　会議に出席する人も欠席する人も、先生に連絡をとって指示を受けること

(2)

これは、太陽カメラの製品を買った人に届いたメールの文章である。

田中様

お客様センターの青木です。
いつも当社の製品をご利用いただき、ありがとうございます。
さて、お問い合わせの件についてお答えいたします。
通常、ご購入から1年以内の故障については、保証書をお持ちでしたら無料で修理を承っております。購入時のレシートで代わりとすることもあります。
今回はそのどちらも見つからないとのことですが、お使いのCA3は発売されてまだ半年の製品なので、ご購入から1年以内のあつかいとさせていただきます。
つきましては、保証の対象となりますので、当社修理センターまで製品をお送りください。
よろしくお願い申し上げます。

太陽カメラ
青木

---

25 このメールの内容として、正しいものはどれか。

1 保証書かレシートがなければ、無料で修理はできない。
2 発売後1年以内なら、保証書がなくても無料で修理ができる。
3 田中さんは、カメラを買った時のレシートだけは持っている。
4 レシートがあれば、新しい製品と交換することができる。

(3)

　　ジョギングをするとなんだか楽しくなる——そんな話を聞いたことがないだろうか。走ることで体は疲れるのに、気持ちはその逆だというのだ。ジョギングは、ただ健康にいいだけではない。走ることでテストステロンというホルモンが出て、気持ちが明るくなるのだそうだ。「走る時間があったら休みたい」という、忙しくてストレスがたまっているような人にこそおすすめだ。毎日とは言わない。まずは週に１日でも、少し時間を作って走ってみてはどうだろうか。

[26] この文章について、正しいものはどれか。
1　ジョギングをすると楽しくなるが、その理由はわかっていない。
2　ジョギングは、精神面での効果も期待できる。
3　忙しい人は、ジョギングをすると、かえってストレスがたまってしまう。
4　ジョギングは、週に１日、２日でなく、毎日続けたほうがいい。

(4)

　先日、ふと思ったことがある。紅葉で有名な庭園に行ったときのことだ。観光客の多さは桜の季節と同じくらいなのに、紅葉の下で食べたり飲んだりはしない。「見る」だけなのだ。どうしてか。桜の場合、「花見」と言えば、仲間と食事やお酒を楽しむことまで指す。いや、むしろ、「見る」ことよりそっちのほうが重要だ。寒い冬から春へ移る気持ちよさや暖かさがあるのが、一番の理由だろう。また、日本の学校や職場の多くが、4月を新しい一年の始まりとしていることも関係しているのだろう。

[27] この文章を書いた人が不思議に思ったのは、何についてか。

1　花見のときに、みんなでお酒を飲むこと
2　日本の学校や会社の多くが、4月に始まること
3　暖かくなると、人が活動的になること
4　紅葉を見るとき、普通は食べたり飲んだりしないこと

問題5 つぎの(1)と(2)の文章を読んで、質問に答えなさい。答えは、1・2・3・4から最もよいものを一つえらびなさい。

(1)

　子どもの習い事として人気の高い「書道」ですが、これはただの「字を上手に書く練習」ではありません。

　書道をやると、まず集中力が身につきます。一度墨(注1)で紙に書いてしまったら、えんぴつで書くときのように消しゴムで消すことはできません。そのため、書く前に心を落ち着かせ、字の形や筆(注2)の動かし方を頭の中に思い浮かべます。その書き方に沿って字を書くので、自然に紙や手に心が集中するのです。

　それから、道具をあつかう力が身につきます。筆や墨は、正しく持って上手に使わないと、服を汚したりします。子どもたちは、道具の正しいあつかい方には意味があると学ぶのです。また、自分の道具を自分で準備したり片づけたりするのも大事な勉強です。

　このように、書道によって、字が上手になるだけでなく、人生に必要な基礎の力をつけることができます。子どもに書道を学んでほしいと考える親は、今後もいなくなることはないでしょう。

（注1）墨：書道で使う黒いインク
（注2）筆：墨をつけて字を書くための道具

[28] ①その書き方とあるが、もっとも近いのはどれか。
1　えんぴつできれいに書けたときの書き方
2　自分の心の中でイメージした書き方
3　先生が見せてくれる正しい書き方
4　一度墨(すみ)で書いたときの書き方

[29] ②道具をあつかう力とは、例えばどのようなことだと言っているか。
1　汚してしまった服は自分で洗う。
2　先生に借りた道具を大事に使う。
3　服を汚さないように気をつけて筆(ふで)を使う。
4　道具の使い方がわからないときは人に聞く。

[30] この文章で一番言いたいことは何か。
1　書道は、字を書く機会が減っても、なくならないだろう。
2　書道は、本当は、家で親が子どもに教えるほうがいい。
3　書道は、集中力や道具を使う力がつく、すばらしい習い事だ。
4　書道は、学ぶことが多いので、大人にもぜひすすめたい。

(2)

　家族であさひ湖にドライブに来た。近くに高原があり広々として気持ちがいいので、若いころからよく来ている。不思議なことに、何度訪れても、その日の天気や気分によって毎回違う景色に出会うことができる。

　初めてこの湖に来たのは、高校生の時のことだ。ある日、友だちが「バイク旅行に行こう」と言い出した。それで、休みの日に地図とおにぎりを持って、行き先も決めずに出発したのだ。バイクは通学でしか使ったことがなく、遠くに行くのは初めてだった。事故やトラブルが起きないだろうか、何か楽しいことが待っているに違いない、などと思いながら、どきどきしたのを覚えている。昼過ぎに着いたあさひ湖は、太陽の光を浴びてきらきらしていた。湖で写真を撮ったり、ほかの観光客と話したり、帰りに道に迷って知らないおばあさんに助けられたりと、私にとって新鮮な出来事の連続だった。

　あさひ湖にはたくさんの思い出があるが、あの日の湖の輝きは一生忘れられないものだ。

[31] ①不思議なことにとあるが、何が不思議だと言っているか。
1 何回来ても飽きないこと
2 いい場所なのに人が少ないこと
3 いつも風景が違って見えること
4 自分が来た時に天気がよく変わること

[32] ②どきどきしたとあるが、なぜか。
1 湖までの道をきちんと調べておかなかったから。
2 学校の規則で、生徒だけで旅行をしてはいけなかったから。
3 いろいろな人と出会うのが楽しみだったから。
4 初めてバイクで旅行することに不安や期待が大きかったから。

[33] 筆者はこのバイク旅行についてどう言っているか。
1 天気もよく、いろいろな人に出会えて、とても楽しかった。
2 予想したとおり、トラブルがたくさんあって大変だった。
3 この旅行をきっかけに、自然のすばらしさがわかった。
4 家族旅行をすると、いつもこのバイク旅行のことを思い出す。

模擬試験 第2回

問題6 つぎの文章を読んで、質問に答えなさい。答えは、1・2・3・4から最もよいものを一つえらびなさい。

　マラソン大会、チーズまつり、手品コンテスト…。住民による小さなイベントや趣味のサークル活動が、町の名物と呼ばれるほど大きく広がることがある。大浜市にも①このような名物がある。小学生親子バレーボール大会、「ひかりカップ」だ。今年は、県の内外から156チームが出場し、2日間で4000人もの人が同市をおとずれた。

　この大会は、バレーボールの市民サークルが小学校のクラブと交流試合を行ったのが始まりだ。はじめは参加10チームの小さな大会だったが、この大会を広めることで②町おこしができないかとサークルのメンバーたちは考えた。

　商店街に協力を呼びかけてもなかなかこたえてもらえず、(1)大会当日の昼はおべんとうを注文する、(2)県外からのチームは市内に泊まる、という参加ルールをつくることにした。その結果、多くの店や旅館が協力してくれるようになった。これは農家にとっても③いい宣伝になっている。おべんとうにはすべて地元(注)の食材を使うことになっているのだ。今では、大会中は町に人があふれ、まつりのようなにぎやかさだ。試合の帰りに市内を観光して帰る人も多い。町おこしは大成功だ。

　「皆さんが楽しそうにプレーしていたのがいちばんうれしい。町の方々とボランティアの力を借りて、来年もよりよい大会にしたい」と会長の木村さん。サークルには、参加者からのお礼の手紙がたくさん届いているそうだ。試合結果と参加者の声はサークルのホームページで公開されている。

（注）地元：その人やそのことに直接関係のあるところ

[34] ①このような名物とは、どのような名物か。
1　全国にも知られている有名なスポーツ大会
2　親子で参加するスポーツ大会
3　市民だけが参加できる特別なイベント
4　町の人々の活動から大きくなったイベント

[35] ここで言う、②町おこしとはどのようなものか。
1　大会を行うことで、町をおとずれる人を増やす。
2　町のバレーボールチームを強いチームにする。
3　サークルと商店とで、町の新しいまつりを作る。
4　活動内容を増やしてサークルの名前を町に広める。

[36] ③いい宣伝になっているとあるが、それはどうしてだと言っているか。
1　作った米や野菜を旅館の食事で使ってもらえるから。
2　多くの人に、自分の作ったものを食べてもらえるから。
3　おべんとうにめずらしい野菜などが使われているから。
4　大会の会場で地元（じもと）の農産物（のうさんぶつ）を売ることができるから。

[37] 会長の木村さんは、この大会についてどう言っているか。
1　大会を広く知ってもらうために、ホームページを作る予定だ。
2　町の人たちには、次の大会でもぜひ協力してほしい。
3　参加した人は、大会の感想を手紙に書いて送ってほしい。
4　どの試合もよかったので、勝ち負け（かま）を決めたくなかった。

模擬試験 第2回

問題7 右のページは、「レインボー旅行社　1月のバスツアー」の案内である。これを読んで、下の質問に答えなさい。答えは、1・2・3・4から最もよいものを一つえらびなさい。

38 ワンさんはこのツアーに参加するつもりだ。温泉のあるホテルに泊まり、2日目にスキー教室に参加したいと思っている。旅行会社に払う代金はいくらか。

1　15,000円
2　18,000円
3　20,000円
4　22,000円

39 原さんは友達の石川さんと、メールでこのツアーに申し込む。きたはらホテルに泊まり、スキー教室にも参加したいと思っている。申し込みの内容が正しいのはどれか。

1

```
ツアー名：夜行バスで行く北原スキー場
出発日：1月11日
ホテル・旅館名：きたはらホテル
旅行者：原ゆう子（2名）
電話番号：099－3346－6679
```

2

```
ツアー名：夜行バスで行く北原スキー場
出発日：1月11日
旅行者：原ゆう子（2名）
電話番号：099－3346－6679
その他：スキー教室に参加します
```

3

```
ツアー名：夜行バスで行く北原スキー場
出発日：1月11日
ホテル・旅館名：きたはらホテル
旅行者：原ゆう子・石川みどり
電話番号：099－3346－6679
```

4

```
ツアー名：夜行バスで行く北原スキー場
出発日：1月11日
旅行者：原ゆう子・石川みどり
電話番号：099－3346－6679
その他：スキー教室に参加します
```

１月・東京発 おすすめバスツアーのご案内

レインボー旅行社

ツアー名　夜行バスで行く北原スキー場

出発日：１月中の金曜日・土曜日（１月４・５・１１・１２・１８・１９・２５・２６日）

基本代金　：15,000 円

〈基本代金にふくまれるもの〉

　往復のバス・宿泊・リフト券・用具とウェアのレンタル

　※ 食事代は基本代金にふくまれません。

〈スケジュール〉

　　１日目　22:00 東京発　→（車中泊）

　　２日目　6:00 北原スキー場着　→（フリータイム）　→（きたはらホテル泊）

　　３日目　（フリータイム）　→ 16:00 北原スキー場発　→ 22:00 東京着

※ きたはらホテルには温泉はありません。ただし、北原温泉ホテルに変更することもできます。その場合は、基本代金といっしょに追加料金 3000 円をお支払いください。

※ 「初心者のためのスキー教室」に参加することができます。参加費（一日 2000 円）は、当日、スキー場でお支払いください。

■お申込み・お支払いについて■

・お電話、ＦＡＸ、Ｅメールで、ご出発の７日前までにお申し込みください。

・ＦＡＸ、Ｅメールでお申込みの場合、①ツアー名、②ご出発日、③お申込者のお名前と参加する人数、④お電話番号またはＥメールアドレス、⑤希望する宿泊先をお書きください。

・旅行代金は、ご出発の３日前までにお支払いください。クレジットカード、銀行、コンビニでのお支払いが可能です。

■ご注意■

・健康保険証をご持参ください。

模擬試験 第2回

N3

聴解
（ちょうかい）

（40分）

模擬試験 第2回

問題1

問題1では、まず質問を聞いてください。それから話を聞いて、問題用紙の1から4の中から、最もよいものを一つえらんでください。

れい

1　きゃくをかいぎ室にあんないする
2　しりょうをコピーする
3　きゃくにお茶を出す
4　かいぎ室のエアコンをつける

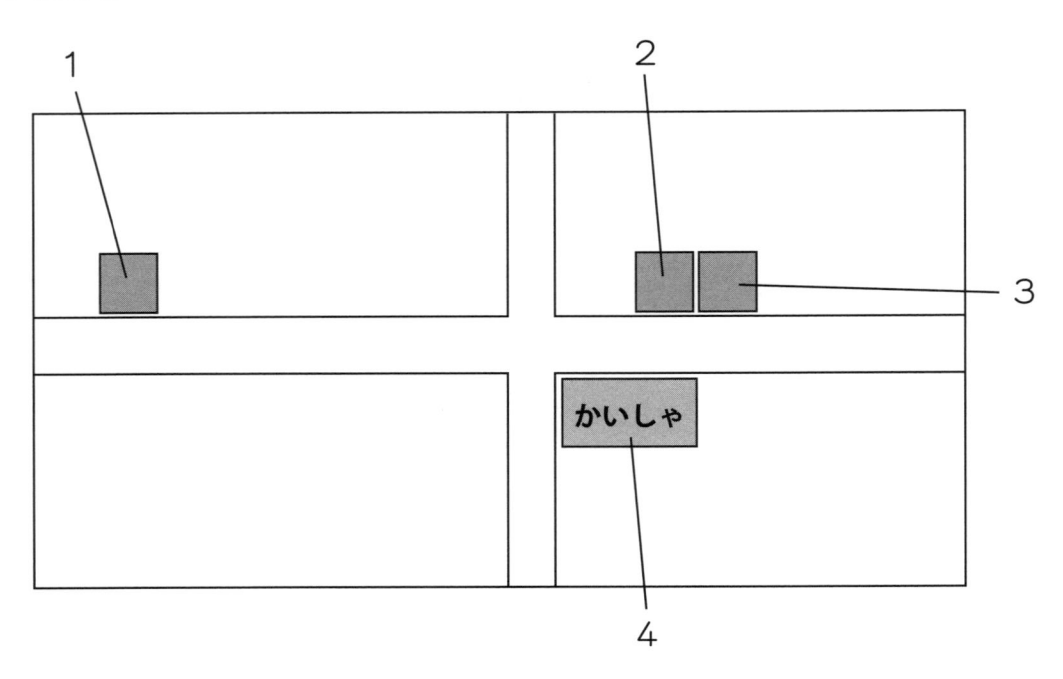

1ばん

2ばん

1　駅
2　会社
3　レストラン
4　自分のうち

3ばん

1　よやくするへやをかえる
2　よやくをキャンセルする
3　つくえのならべ方をかえる
4　パソコンを借りる

4ばん

1　しゅくだいを終わらせる
2　にわのそうじをする
3　せんたく物を家の中に入れる
4　はいしゃに行く

5ばん

1
〒123-456
緑山市北2-5-10
ABCアパート201
田中 ひろし 様
緑山市役所

2
社員証
田中 ひろし
株式会社 ふじ工業
緑山市南1-5-1
03-1234-5678

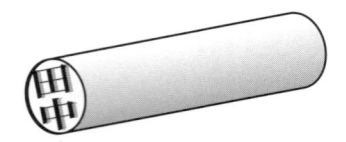

3
田中

4
図書館利用カード
みどりやま市

6ばん

1 コップを動かす
2 テーブルを動かす
3 にんずうをかくにんする
4 会社にもどる

問題 2

問題2では、まず質問を聞いてください。そのあと、問題用紙を見てください。読む時間があります。それから話を聞いて、問題用紙の1から4の中から、最もよいものを一つえらんでください。

れい

1　ぐあいが悪かったから
2　ねぼうしたから
3　セミナーに行きたくないから
4　お昼を食べていたから

1ばん

1　会社がいやになったから
2　とおくにひっこすから
3　しばらく休みたいから
4　ほかにやりたい仕事を見つけたから

2ばん

1　時間にきびしいこと
2　ゆっくり時間をすごすこと
3　待つとき、すぐにイライラすること
4　小さいことを気にしすぎること

3ばん

1　電気代が安くなること
2　はいたつがむりょうになること
3　今までと同じ大きさで、中がより広いこと
4　小さくて、どこにでも置けること

4ばん

1 学生だけで使うこと
2 マイクを使うこと
3 3時間使うこと
4 これからすぐに使うこと

5ばん

1 アルバイトが終わる時間がおそいから
2 毎日、アルバイトをしているから
3 毎日、自転車でアルバイトに行くから
4 昨日、歩いてアルバイトに行ったから

6ばん

1 写真がきれいにとれるから
2 話すだけでしらべてくれるから
3 特別に安かったから
4 同じけいたい電話会社のせいひんだから

問題3

問題3では、問題用紙に何もいんさつされていません。この問題は、ぜんたいとしてどんなないようかを聞く問題です。話の前に質問はありません。まず話を聞いてください。それから、質問とせんたくしを聞いて、1から4の中から、最もよいものを一つえらんでください。

— メモ —

問題4

問題4では、えを見ながら質問を聞いてください。やじるし（→）の人は何と言いますか。1から3の中から、最もよいものを一つえらんでください。

れい

1ばん

2ばん

3ばん

4ばん

問題5

問題5では、問題用紙に何もいんさつされていません。まず文を聞いてください。それから、そのへんじを聞いて、1から3の中から、最もよいものを一つえらんでください。

— メモ —

模擬試験
第3回

N3

げんごちしき(もじ・ごい)

(30ぷん)

模擬試験 第3回

問題1 ＿＿＿のことばの読み方として最もよいものを、1・2・3・4から一つえらびなさい。

1 木村さんは、旅行会社に就職が決まったそうだ。
 1　しゅしょく 2　しゅうしょく 3　じゅしょく 4　じゅうしょく

2 お皿を落としてしまい、床にきずがついた。
 1　まど 2　はしら 3　かべ 4　ゆか

3 ここで携帯電話の充電ができるそうだ。
 1　じゅうでん 2　しゅうでん 3　じょうでん 4　しょうでん

4 家を買うためにお金を貯金している。
 1　ちょかね 2　ちょうかね 3　ちょきん 4　ちょうきん

5 自動車の運転免許を持っていますか。
 1　めんぎょう 2　めんぎょ 3　めんきょう 4　めんきょ

6 駅の前に建設中のビルは、来年1月に完成するそうだ。
 1　けんせつ 2　けんちく 3　けんがく 4　けんとう

7 急に車が曲がってきて、怖かった。
 1　きびしかった 2　つらかった 3　こわかった 4　くるしかった

8 今日は体調が悪いので、仕事を休ませてもらった。
 1　たいちょ 2　たいちょう 3　たいじょ 4　たいじょう

問題2 ＿＿＿のことばを漢字で書くとき、最もよいものを、1・2・3・4から一つえらびなさい。

9 この店は水曜日が<u>きゅうぎょう</u>日だ。
　　1　休業　　　　2　休行　　　　3　休形　　　　4　休料

10 子供たちには、元気に<u>そだって</u>ほしい。
　　1　増って　　　2　成って　　　3　育って　　　4　伸って

11 家の<u>むかい</u>にコンビニができた。
　　1　反かい　　　2　逆かい　　　3　向かい　　　4　対かい

12 長い間飼っていた犬が死んだので、<u>かなしい</u>。
　　1　悲しい　　　2　貧しい　　　3　忙しい　　　4　険しい

13 友達から<u>めんどう</u>なことを頼まれて困っている。
　　1　面道　　　　2　面働　　　　3　面同　　　　4　面倒

14 操作を間違えて、データが<u>かんぜん</u>に消えてしまった。
　　1　完了　　　　2　完成　　　　3　完全　　　　4　完然

模擬試験 第3回

問題3 （　　）に入れるのに最もよいものを、1・2・3・4から一つえらびなさい。

15 娘の（　　）を聞いて、新しいパソコンを買ってやった。
1　疑い　　　2　頼み　　　3　喜び　　　4　誘い

16 パソコンの（　　）に注意しなければならない。
1　ビジネス　　　2　オフィス　　　3　ウイルス　　　4　ボーナス

17 明日から会社まで自転車で（　　）ことにした。
1　通う　　　2　勤める　　　3　働く　　　4　訪ねる

18 この漢字は間違っているから、（　　）してください。
1　修理　　　2　修正　　　3　変更　　　4　変化

19 新しい仕事を始めて半年が経ち、（　　）慣れてきた。
1　たまに　　　2　たいてい　　　3　まれに　　　4　だいぶ

20 この野菜はにおいが（　　）ので、苦手な人も多い。
1　いたい　　　2　くさい　　　3　からい　　　4　かゆい

21 電車の中で携帯電話で話している人に注意したら（　　）された。
1　むっと　　　2　さっと　　　3　ほっと　　　4　さっさと

22 姉が忙しいときは、私がめいの面倒を（　　）いる。
1　持って　　　2　やって　　　3　見て　　　4　して

23 （　　）責任なことをして、周囲に迷惑をかけてしまった。
1　不　　　2　無　　　3　非　　　4　未

24 この映画の（　　）を書いて送ると、プレゼントが当たるらしい。
1　感謝　　　2　感情　　　3　感想　　　4　感心

25 私が何を飲むか、(　　　)に決めないでほしい。
　　1　勝手　　　　2　上手　　　　3　下手　　　　4　相手

問題4 ＿＿＿＿に意味が最も近いものを、1・2・3・4から一つえらびなさい。

3分（1問30秒）

26 来週の試験までに、この本の内容を全部暗記しなければならない。
　　1　写す　　　　2　読む　　　　3　覚える　　　4　書く

27 頼んだ料理が少なかったので、もう一皿プラスすることにした。
　　1　かす　　　　2　たす　　　　3　だす　　　　4　おす

28 のどが痛いので、病院で診察してもらった。
　　1　やって　　　2　おいて　　　3　みて　　　　4　きいて

29 記憶があいまいで、本当にそう言ったのか、自信がない。
　　1　はっきりしない　2　つまらない　　3　かるい　　　　4　ちいさい

30 あの人との結婚は、考え直したほうがいいよ。
　　1　進めた　　　2　やめた　　　3　続けた　　　4　決めた

模擬試験 第3回

問題5 次のことばの使い方として最もよいものを、1・2・3・4から一つえらびなさい。

5分（1問60秒）

31 整理
1. 机が曲がっているので、まっすぐに整理してください。
2. このクッキーは、形を四角く整理して作ります。
3. 寝坊して、朝、髪を整理する時間がなかった。
4. 写真のデータを一年ごとに整理した。

32 行う
1. 毎日8時半までに、会社に行わなければならない。
2. 明日、卒業式が行われる。
3. 来週、東京へ出張に行う予定だ。
4. 久しぶりに友人を訪ねて行おうと思っている。

33 アクセス
1. 近くを通ったので、友達の家にアクセスした。
2. 小さなことでも、上司にアクセスしたほうがいい。
3. 時間が決まったら、メールでアクセスしてください。
4. 詳しい情報は、下記のURLにアクセスしてご覧ください。

34 不満
1. 売り切れと聞いて、彼女は不満そうな顔をした。
2. 一人不満だと、サッカーの試合ができない。
3. まだ席が不満なら、レストランの予約ができる。
4. 駐車場が不満だったので、止めることができた。

35 避ける
1. 誰も座っていなかったので、窓側の席に避けた。
2. 電車の中で、お年寄りに席を避けた。
3. この最新の自動車には、衝突を避ける機能が付いている。
4. せまい歩道などで自転車同士が避けるのは、とても危ない。

模擬試験 第3回

N3

言語知識（文法）・読解

（70分）

模擬試験 第3回

問題1 つぎの文の（　）に入れるのに最もよいものを、1・2・3・4から一つえらびなさい。

1 そのアルバイトは、毎年、大学の学生課（　　　）募集されます。
　1　を通り　　　　2　を通って　　　　3　に通って　　　　4　を通じて

2 インタビューといっても、1分ほどの短いもの（　　　）そうだ。
　1　ぐらいだ　　　2　を通じて　　　　3　にすぎない　　　4　にとって

3 （就職の説明会）
　A「ずいぶん簡単な説明だなあ。」
　B「もっと仕事の内容を詳しく説明する（　　　）よ。」
　1　よりほかない　2　べきだ　　　　　3　わけではない　　4　ことになっている

4 （不動産屋で）
　A「このマンション、ペットは飼えますか。」
　B「犬や猫（　　　）は10キロ以下なら問題ありません。」
　1　に関して　　　2　に反して　　　　3　によれば　　　　4　によって

5 A「駅前の病院はどう？」
　B「患者（　　　）とても親切だって評判だよ。」
　1　にとって　　　2　と違って　　　　3　と言って　　　　4　に対して

6 A「バス停に人がいないね。」
　B「今、（　　　）ね。あと10分は来ないよ。」
　1　出てからだ　　　　　　　　　　　2　出たとたんだ
　3　出てはじめてだ　　　　　　　　　4　出たばかりだ

7 A「今度の国際会議は何日間行われるんですか。」
　B「10日（　　　）行われるそうです。」
　1　にわたって　　2　あいだ　　　　　3　うちに　　　　　4　際に

8 （電話で）
　A「先生のご都合のよいときに研究室に（　　　）のですが…。」
　B「来週の月曜日なら時間があります。何時ごろがいいですか。」
　1　存じあげたい　　　　　　　　　2　お目にかかりたい
　3　うかがいたい　　　　　　　　　4　さしあげたい

9 （会社で）
　A「今日はもう帰るんだね。そのほうがいいよ。」
　B「うん。部長の前で咳が止まらなくなっちゃって…。すぐに（　　　）って言われたよ。」
　1　帰ります　　　2　帰りましょう　　3　帰らせる　　4　帰れ

10 このカードは部屋に入る（　　　）必要ですから、なくさないでください。
　1　次第に　　　2　通りに　　　3　際に　　　4　最中に

11 A「昨日、彼の誕生日だったんだけど、忘れてしまって…。どうしよう。」
　B「謝る（　　　）ね。」
　1　みたいだ　　　　　　　　　　　2　ことになっている
　3　しかない　　　　　　　　　　　4　おそれがある

12 A「どうして昨日来なかったの？」
　B「行く（　　　）んだけど、具合が悪くなっちゃって…。」
　1　ことはなかった　2　つもりだった　3　にちがいなかった　4　わけがなかった

13 （夫婦の会話）
　夫「太郎、寝ている時も時計をつけてるよ。」
　妻「買ってあげてよかったね。」
　夫「きっと、（　　　）。」
　1　うれしいはずがないんだな
　2　うれしいおそれがあるんだな
　3　うれしくてしょうがないんだな
　4　うれしくてもしょうがないんだな

問題2 つぎの文の ___★___ に入る最もよいものを、1・2・3・4から一つえらびなさい。

（問題例）

つくえの ＿＿＿ ＿＿＿ ★ ＿＿＿ あります。

1　が　　　　2　に　　　　3　上　　　　4　ペン

（解答のしかた）

1．正しい文はこうです。

| つくえの ＿＿＿ ＿＿＿ ★ ＿＿＿ あります。 |
| 　　　　　3　上　　2　に　　4　ペン　　1　が |

2．___★___ に入る番号を解答用紙にマークします。

（解答用紙）　（例）　① ② ③ ●

14 このゲーム ＿＿＿ ＿＿＿ ★ ＿＿＿ と思います。
1　ほど　　　　2　遊びは　　　　3　おもしろい　　　4　ない

15 引っ越しの日を ＿＿＿ ＿＿＿ ★ ＿＿＿ のに。
1　行った　　　2　言って　　　　3　手伝いに　　　　4　くれれば

16 お金を ＿＿＿ ＿＿＿ ★ ＿＿＿ くれないそうだ。
1　品物を　　　2　払って　　　　3　からでないと　　4　送って

17 この窓、＿＿＿ ＿＿＿ ★ ＿＿＿ ならない。
1　きれいに　　2　ちっとも　　　3　ふいても　　　　4　いくら

18 この辺りは、景色が美しい ＿＿＿ ＿＿＿ ★ ＿＿＿ 有名だ。
1　ことでも　　　　　　　　　　　2　見られる
3　だけでなく　　　　　　　　　　4　多くの野生動物が

問題3 つぎの文章を読んで、文章全体の内容を考えて、 19 から 23 の中に入る最もよいものを、1・2・3・4から一つえらびなさい。

レコードとCD

30年ほど前の日本語の初級教科書では、生活で使われる 19 、カメラ、ステレオ、レコード、テレビ、ラジオ、冷蔵庫などの言葉がよく取り上げられていた。この6つのうち、今日の生活からほとんど消えてしまったものがある。 20 レコードである。

レコードを聞くには針が必要で、いい針だといい音で聴けるといわれていたので、高かったがいい針を買った記憶がある。レコードは直径が30センチもあるため、置く場所が必要で、部屋の一部がレコードに取られてしまった。 21 、レコードには表と裏があり、表をA面、裏をB面と呼び、反対の面を聞く時にはひっくり返さなければならなかった。

今、日本語の教科書に「レコード」という言葉はない。1994年に出版された日本語の初級教科書には、 22 「CD」という言葉が入っている。

CDを初めて見た人が、「A面とB面はないのかい」と聞くと、聞かれた人が「はい、ĊḊですから」と答える笑い話がある。小さくて軽い、場所をとらないCDは、狭い部屋で生活する私にとっては 23 。

19
1　物であって　　　　　　　　　2　物として
3　物のように　　　　　　　　　4　物に対して

20
1　それは　　　2　あれは　　　3　その　　　4　あの

21
1　また　　　2　だから　　　3　それで　　　4　つまり

22
1　レコードだけでなく　　　　　2　レコードのかわりに
3　レコードといっしょに　　　　4　レコードとは言わないで

23
1　大変ありがたい　　　　　　　2　ありがたいわけがない
3　気持ちをこめている　　　　　4　気持ちがこもった

問題4 つぎの(1)から(4)の文章を読んで、質問に答えなさい。答えは、1・2・3・4から最もよいものを一つえらびなさい。

(1)

これは、市の新聞にのっていたお知らせである。

ベッドを譲ります

　2月に引っ越しを予定しているため、今使っているベッドを安くお譲り（注）したいと思います。5万円で買った木のベッドで、使用期間は2年です。状態に特に問題はありませんが、新品と同じようなものをご希望の方には満足していただけないかもしれません。

　また、私のアパートまで取りに来ていただける方にお譲りしたいと思います。ベッドのほかに、冷蔵庫、テレビ、テーブルなどもあります。詳しくは田中（090-1234-5678）までご連絡ください。

（注）譲る：自分の持ち物を誰かにあげたり、ほしい人に売ったりする

24　この文章からわかることは何か。

1　ベッドを普通より安く買うことができる。
2　2年間、ベッドを借りることができる。
3　ベッドの配達を無料にしてもらえる。
4　ベッド以外のものも、もらうことができる。

(2)

これは、田中さんが、スーツケースを借りた相手に送ったメールである。

川島様

先日はスーツケースをお貸しいただき、ありがとうございました。おかげで旅行中、不便なく過ごすことができました。
しかし、帰りの空港でスーツケースに少し傷をつけてしまいました。大変申し訳ありません。川島さんにとってとても大切なものだと思います。せめて同じものを買ってお返ししようと探したのですが、なかなか見つかりません。また、新しいものでお返しするのがいいのか、まず、お伺いしなければなりません。近いうちにスーツケースを持ってうかがいたいと思いますので、ご都合をお知らせいただけないでしょうか。

田中

[25] 田中さんは、川島さんから返事をもらったあと、何をするつもりか。

1　スーツケースを貸しに行く。
2　スーツケースを買って返す。
3　どうすればいいか、ちょくせつ聞きに行く。
4　旅行のおみやげを持っていく。

(3)

　先日、公園で10歳くらいの女の子が、携帯電話で話しているのを見た。相手はどうやら学校の友達で、特に用事があるわけでもなく、なんとなくおしゃべりをしているようだった。親から見れば、子どもに携帯を持たせることで少しは安心できるのかもしれない。特に共働きの夫婦はそうだろう。しかし、こんなに幼いころから大人と同じ携帯を持つ必要があるのだろうか。携帯をきっかけに、子どもが犯罪にあうケースも増えている。携帯を持つことで子どもの世界にどんな変化が起きているのか、親は常に注意をしておかなければならない。

26 親が子どもに携帯電話を持たせる場合、何が大事だと考えているか。
　1　子どもが一人でインターネットのサービスを利用しないこと
　2　携帯電話が子どもにどんな影響を与えているか、親がいつも関心を持つこと
　3　大人が使う携帯電話よりも機能を少なくすること
　4　親が二人とも働いているときに、子どもが友達と連絡をとれるようにすること

(4)

　東山市は４月から公共タクシーのサービスを始めた。いくつかの地域で、高齢者(こうれいしゃ)や運転免許を持たない人が多くいるにもかかわらず、利用できるバスがなく、以前から移動の不便が問題になっていたからだ。買い物や病院の受診などに出かけるとき、受付センターに電話すると、タクシーが自宅まで迎えに来て、希望する場所まで送ってくれる。登録(とうろく)さえしておけば、同市内のどこでも利用でき、どれだけ乗っても１回300円という便利さと安さが人気だ。今月から市のホームページからも予約できるようになったので、さらに便利になる。

[27] このタクシーを利用するのに**関係のない**ものはどれか。

1　受付センターに電話をすること
2　インターネットで予約をすること
3　利用者登録(とうろく)をすること
4　タクシー会社に連絡すること

問題5 つぎの(1)と(2)の文章を読んで、質問に答えなさい。答えは、1・2・3・4から最もよいものを一つえらびなさい。

(1)
　現在、「朝読」が多くの小中高校で行われている。「朝読」とは朝の読書運動のことで、授業前の10分間、先生と生徒たちが自分の好きな本を読み、それから授業を始めるものである。1988年に千葉県の高校で始まったのが最初だ。今は、読書の習慣をつけたり、読む力をつけたりするためにすることが多いが、もともとは、遅刻や欠席が多かったので、生徒たちが落ち着いて一日を始められるようにと、考えられたそうだ。
　「朝読」では、生徒たちは4つのルールを守るように指示される。「毎日やる」「みんなでやる」「好きな本でよい」「ただ読むだけ」である。
　この「朝読」にはいろいろな効果がある。本を読むスピードが上がること、本が読めない子が読めるようになること、などだ。それだけでなく、生徒の態度や心の状態にもいい変化が見られるようだ。遅刻が減って授業にスムーズに入れるようになったこと、生徒が急に怒り出したり教室を出ていったりすることが減っていること、などが報告されている。

28 「朝読」は、最初、何を目的に始められたか。
1 生徒たちが、本を読む楽しさを知ること
2 生徒たちが、落ち着いた気持ちで授業に入ること
3 生徒たちが、たくさん本を読むようになること
4 生徒たちが、難しい本が読める力をつけること

29 「いろいろな効果」とあるが、それに**当てはまらない**ものはどれか。
1 本を速く読めるようになったこと
2 文章を理解する力がつくようになったこと
3 生徒同士であまりけんかをしなくなったこと
4 授業に遅れてくる生徒が少なくなったこと

30 「朝読」について、本文の内容に合うものはどれか。
1 やりたくない生徒には、無理にやらせなくてもよい。
2 生徒は、先生から読みたい本を読むように指示される。
3 読み書きの力を高めるための国の計画が成功した例である。
4 生徒は、授業の前に本を読んだ感想を話すと落ち着く。

(2)

学生の皆さんへ

最近、西富士市で自転車の盗難(注1)事件が増えていると警察から連絡がありました。鍵をこわされて盗まれることもあるそうですが、被害にあった多くの自転車が鍵をかけていなかったそうです。盗まれないよう、自分のアパートにとめるときでも、買い物などで少しの間だけとめるときでも、必ず鍵をかけるようにしてください（自転車に鍵を2つつけるのも、効果的なようです）。

大学の中でも盗難事件が起きています。多いのは、図書館や教室で、物を置いたまま、そこから離れたり、忘れてしまったりするケースです。また、体育の授業のときに更衣室(注2)で財布を盗まれるケースもあります。短時間でも、かばんや財布などを置いたまま、トイレなどに行かないようにし、教室を出るときは、忘れ物をしていないか、確認するようにしてください。また、体育の授業のときは、大事なものは先生などに預けるようにしてください。

もし盗難にあったら、すぐに学生課と警察に連絡してください。

（注1）盗難：物を盗まれること
（注2）更衣室：服を着替える部屋

[31] 自転車が盗まれる一番の原因は何か。
1 自転車の鍵がこわれていたから
2 自転車の鍵をこわされたから
3 自転車の鍵をかけていなかったから
4 自転車の鍵を1つしかつけていなかったから

[32] そことあるが、何のことか。
1 図書館や教室
2 物
3 物を置いた場所
4 物を置いたこと

[33] 盗難を防いだり、被害を小さくしたりするために、大学が学生に注意を呼びかけている。それに**当てはまらない**のはどれか。
1 体育の授業のときに、大事な物を先生に預けること
2 盗難にあったら、すぐに大学や警察に知らせること
3 盗まれて困るような物は大学に持ってこないこと
4 教室を出るときに、携帯電話などを忘れていないか、確認すること

問題6 つぎの文章を読んで、質問に答えなさい。答えは、1・2・3・4から最もよいものを一つえらびなさい。

　日本ではどの町に行ってもコンビニがある。日々必要な食べ物や飲み物、雑誌などを売っているだけでなく、いろいろなサービスもある。例えば、ATMでお金をおろしたり、電気代やガス代などの公共料金を支払ったりすることができる。物を送ることもできるし、写真をプリントすることもできる。電話で注文して、料理を配達してもらうこともできるそうだ。コンビニは、今や日本人の生活にはなくてはならないものになっていると言えるだろう。

　コンビニには、一人暮らしの若者、子どもと離れて暮らす老人、家事で忙しい主婦、塾帰りの子どもなど、あらゆる人が訪れる。これほど人々に広く利用されているのは、コンビニがそれだけ便利だからだろう。しかし、その理由は便利さだけだろうか。

　コンビニの経営について、ある店長に話を聞いてみた。すると、こんな答えが返ってきた。「一番大切にしているのは、お客さんのことをよく考えて行動することです。例えば、小さい子どもが母親と買い物に来て、20円のチョコレートを買ったときは、ほかの品物とは別に小さい袋に入れてあげるとか、赤ちゃんを抱いている母親が買い物をしたら、車まで荷物を持って行ってあげるとか。」。小さいことだが、スタッフの優しさを感じさせる話だ。

　「気持ちのいい店だな。」「また来よう。」——客にそう思わせるのは、客のことを考えている気持ちが自然に伝わるからだろう。

34 この文章では、コンビニでは何ができると言っているか。
1 口座を開くこと
2 本を借りること
3 写真を撮影すること
4 料理を届けてもらうこと

35 ①その理由とあるが、何の理由か。
1 どの町にもコンビニがある理由
2 子供からお年寄りまでがコンビニを使う理由
3 コンビニが、生活に欠かせないものになった理由
4 コンビニがいろいろなサービスをしている理由

36 ②こんな答えとあるが、どんな内容か。
1 客のことを第一に考えて行動することが大切だ。
2 言われたことをするだけでなく、自分で考えて行動することが大切だ。
3 ものを売る以外の新しいサービスを生み出すことが大切だ。
4 子どもや赤ちゃんのいる母親には特に優しくすることが大切だ。

37 この文章で一番言いたいことは何か。
1 コンビニはとても便利なので、いろいろな人に利用されている。
2 コンビニでは、これからもいろいろなサービスが増えていくだろう。
3 コンビニは、便利さだけでなく、気持ちよく利用できることも大切なようだ。
4 コンビニで成功するには、客に繰り返し利用してもらう努力が必要だ。

模擬試験 第3回

問題7 右のページは緑山市のスポーツ施設の案内である。これを読んで、下の質問に答えなさい。答えは1・2・3・4から最もよいものを一つえらびなさい。

38 緑山市に住むキムさんは、友達とテニスをしようと思い、市の施設を利用することにした。テニスコートの予約方法として正しいものはどれか。

1 インターネットで利用者登録をしたあと、受付窓口でコートの予約と支払いをする。
2 インターネットで利用者登録とコートの予約をしたあと、受付窓口で支払いをする。
3 受付窓口で利用者登録をしたあと、インターネットでコートを予約、後日、受付窓口で支払いをする。
4 受付窓口で利用者登録とコートの予約をして、後日、インターネットで支払いをする。

39 リーさんは、日曜日の午後、友達とバスケットボールをすることにした。体育館を2時間予約して料金を支払ったが、3時間に変更したいと思っている。リーさんは料金をあといくら払わなければならないか。

1 350円
2 400円
3 1050円
4 1200円

スポーツ施設の利用について

　緑山市のスポーツ施設（体育館、テニスコート）をご利用になる場合、予約する前に、まず利用者登録をしていただきます。体育館の受付で、直接、手続きを行ってください。登録が終わったら、利用者登録カードをお渡しします。
　利用できるのは、緑山市内に住んでいる方、または、緑山市内の会社や大学などに通っている方です。

予約方法

ご利用を希望する日の1か月前からお申し込みができます。

(1)体育館の受付で行う場合（受付時間　8:30～18:00）
　受付に来ていただき、希望する日に体育館やテニスコートが利用できるかどうかを確認した後、予約していただきます。このとき、利用者登録カードが必要です。その場で利用料金をお支払いください。

(2)インターネットで行う場合（受付時間　8:30～22:00）
　緑山市のホームページからお申し込みいただきます。
　利用する日の7日前までに、受付窓口で利用料金をお支払いください。このとき、利用者登録カードが必要です。

利用料金

	体育館	テニスコート
1時間（月～金）	350円	250円
1時間（土日祝）	400円	300円

予約の変更・取り消し

　ご予約の変更や取り消しをされる場合、予約した日の3日前までに受付窓口にお申し出ください。なお、お手続きは、インターネットからもできます。予約の変更をして料金が変更になった場合、窓口で不足分をお支払いください（または、多く払い過ぎた分をお受け取りください）。

模擬試験
第3回

N3

聴解
ちょうかい

（40分）

模擬試験 第3回

問題1

問題1では、まず質問を聞いてください。それから話を聞いて、問題用紙の1から4の中から、最もよいものを一つえらんでください。

れい

1　きゃくをかいぎ室にあんないする
2　しりょうをコピーする
3　きゃくにお茶を出す
4　かいぎ室のエアコンをつける

1ばん

2ばん

1　1時まで
2　2時まで
3　2時15分前まで
4　1時15分前まで

3ばん

1　かちょうにチェックしてもらう
2　田中さんにチェックしてもらう
3　もう一度スケジュールを立てる
4　ほかの会社のせいひんとのちがいを書く

4ばん

1　しかいをする
2　うけつけをする
3　しかいを人にたのむ
4　うけつけを人にたのむ

5ばん

1 着物
2 白いドレス
3 黒いドレス
4 花がらのドレス

6ばん

1 日にちをかえる
2 時間をかえる
3 同時にへやを2つ借りる
4 とちゅうでへやをかえる

問題2

10~17
CD3

問題2では、まず質問を聞いてください。そのあと、問題用紙を見てください。読む時間があります。それから話を聞いて、問題用紙の1から4の中から、最もよいものを一つえらんでください。

れい

1　ぐあいが悪かったから
2　ねぼうしたから
3　セミナーに行きたくないから
4　お昼を食べていたから

1ばん

1 一人ぐらしをしたいから
2 りゅうがくをしたいから
3 買いたいものがあるから
4 家族のやくに立ちたいから

2ばん

1 教えるのがすきだから
2 いい先生と出会ったから
3 自分でいろいろくふうできるから
4 そうだんできる先生がいなかったから

3ばん

1 大家さんがやさしいこと
2 日本語がうまくなっていること
3 アルバイトが見つかったこと
4 日本人の友だちができたこと

4ばん

1　5日(月)〜7日(水)
2　9日(金)〜11日(日)
3　19日(月)〜21日(水)
4　23日(水)〜25日(金)

5ばん

1　仕事がたいへんだから
2　やりたい仕事ができないから
3　大きな仕事をさせてもらえないから
4　しかたなく入った会社だったから

6ばん

1　勉強をするため
2　読書をするため
3　おべんとうを作るため
4　ジョギングをするため

問題3

問題3では、問題用紙に何もいんさつされていません。この問題は、ぜんたいとしてどんなないようかを聞く問題です。話の前に質問はありません。まず話を聞いてください。それから、質問とせんたくしを聞いて、1から4の中から、最もよいものを一つえらんでください。

― メモ ―

問題4

問題4では、えを見ながら質問を聞いてください。やじるし（→）の人は何と言いますか。1から3の中から、最もよいものを一つえらんでください。

れい

模擬試験 第3回

1ばん

2ばん

3ばん

4ばん

問題5

問題5では、問題用紙に何もいんさつされていません。まず文を聞いてください。それから、そのへんじを聞いて、1から3の中から、最もよいものを一つえらんでください。

― メモ ―

模擬試験の採点表

配点は、この模擬試験で設定したものです。実際の試験では公表されていませんが、各科目の合計得点が示されているので(60点)、それに基づきました。「基準点＊の目安」と「合格点の目安」も、それぞれ実際のもの(19点、95点)を参考に設定しました。

＊基準点：得点がこれに達しない場合、総合得点に関係なく、それだけで不合格になる。

★合格可能性を高めるために、100点以上の得点を目指しましょう。
★基準点に達しない科目があれば、重点的に復習しましょう。

●言語知識（文字・語彙・文法）

大問	配点	満点	第1回 正解数	得点	第2回 正解数	得点	第3回 正解数	得点
言語知識（文字・語彙）								
問題1	1点×8問	8						
問題2	1点×6問	6						
問題3	1点×11問	11						
問題4	1点×5問	5						
問題5	1点×5問	5						
言語知識（文法）								
問題1	1点×13問	13						
問題2	1点×5問	5						
問題3	1点×5問	5						
合計		58						
（基準点の目安）				(19)		(19)		(19)

● 読解

大問	配点	満点	第1回		第2回		第3回	
			正解数	得点	正解数	得点	正解数	得点
問題4	3点×4問	12						
問題5	4点×6問	24						
問題6	4点×4問	16						
問題7	4点×2問	8						
	合計	60						
	（基準点の目安）			(19)		(19)		(19)

● 聴解

大問	配点	満点	第1回		第2回		第3回	
			正解数	得点	正解数	得点	正解数	得点
問題1	3点×6問	18						
問題2	3点×6問	18						
問題3	3点×3問	9						
問題4	2点×4問	8						
問題5	1点×9問	9						
	合計	62						
	（基準点の目安）			(20)		(20)		(20)

	第1回	第2回	第3回
総合得点	／180	／180	／180
（合格点の目安）	(95)	(95)	(95)

日本語能力試験 完全模試 N3 かいとうようし

第1回 げんごちしき（もじ・ごい）

〈ちゅうい Notes〉

1. くろいえんぴつ(HB、No.2)でかいてください。
   (ペンやボールペンではかかないでください)
   Use a black medium soft (HB or No.2) pencil.
   (Do not use any kind of pen.)
2. かきなおすときは、けしゴムできれいにけして
   ください。
   Erase any unintended marks completely.
3. きたなくしたり、おったりしないでください。
   Do not soil or bend this sheet.
4. マークれい Marking examples

よいれい Correct Example	わるいれい Incorrect Examples
●	⊘ ⊙ ◌ ○ ◍ ⊖

なまえ
Name

問題 1

1	①	②	③	④
2	①	②	③	④
3	①	②	③	④
4	①	②	③	④
5	①	②	③	④
6	①	②	③	④
7	①	②	③	④
8	①	②	③	④

問題 2

9	①	②	③	④
10	①	②	③	④
11	①	②	③	④
12	①	②	③	④
13	①	②	③	④
14	①	②	③	④

問題 3

15	①	②	③	④
16	①	②	③	④
17	①	②	③	④
18	①	②	③	④
19	①	②	③	④
20	①	②	③	④
21	①	②	③	④
22	①	②	③	④
23	①	②	③	④
24	①	②	③	④
25	①	②	③	④

問題 4

26	①	②	③	④
27	①	②	③	④
28	①	②	③	④
29	①	②	③	④
30	①	②	③	④

問題 5

31	①	②	③	④
32	①	②	③	④
33	①	②	③	④
34	①	②	③	④
35	①	②	③	④

日本語能力試験 完全模試 N3 かいとうようし
第1回 げんごちしき (ぶんぽう)・どっかい

なまえ
Name

〈ちゅうい Notes〉
1. くろいえんぴつ(HB、No.2)でかいてください。
   (ペンやボールペンではかかないでください)
   Use a black medium soft (HB or No.2) pencil.
   (Do not use any kind of pen.)
2. かきなおすときは、けしゴムできれいにけしてください。
   Erase any unintended marks completely.
3. きたなくしたり、おったりしないでください。
   Do not soil or bend this sheet.
4. マークれい Marking examples

よいれい Correct Example	わるいれい Incorrect Examples
●	⊘ ⊙ ◑ ⦶ ◍ ◐

	問題 1			
1	①	②	③	④
2	①	②	③	④
3	①	②	③	④
4	①	②	③	④
5	①	②	③	④
6	①	②	③	④
7	①	②	③	④
8	①	②	③	④
9	①	②	③	④
10	①	②	③	④
11	①	②	③	④
12	①	②	③	④
13	①	②	③	④
	問題 2			
14	①	②	③	④
15	①	②	③	④
16	①	②	③	④
17	①	②	③	④
18	①	②	③	④
	問題 3			
19	①	②	③	④
20	①	②	③	④
21	①	②	③	④
22	①	②	③	④
23	①	②	③	④

	問題 4			
24	①	②	③	④
25	①	②	③	④
26	①	②	③	④
27	①	②	③	④
	問題 5			
28	①	②	③	④
29	①	②	③	④
30	①	②	③	④
31	①	②	③	④
32	①	②	③	④
33	①	②	③	④
	問題 6			
34	①	②	③	④
35	①	②	③	④
36	①	②	③	④
37	①	②	③	④
	問題 7			
38	①	②	③	④
39	①	②	③	④

日本語能力試験 完全模試 N3 かいとうようし

第1回 ちょうかい

なまえ / Name

〈ちゅうい Notes〉

1. くろいえんぴつ(HB、No.2)でかいてください。
(ペンやボールペンではかかないでください)
Use a black medium soft (HB or No.2) pencil.
(Do not use any kind of pen.)
2. かきなおすときは、けしゴムできれいにけして ください。
Erase any unintended marks completely.
3. きたなくしたり、おったりしないでください。
Do not soil or bend this sheet.
4. マークれい Marking examples

よいれい Correct Example	わるいれい Incorrect Examples
●	○ ◑ ✦ ⊘ ⦸ ◉

問題 1

	①	②	③	④
れい	●	②	③	④
1	①	②	③	④
2	①	②	③	④
3	①	②	③	④
4	①	②	③	④
5	①	②	③	④
6	①	②	③	④

問題 2

	①	②	③	④
れい	●	②	③	④
1	①	②	③	④
2	①	②	③	④
3	①	②	③	④
4	①	②	③	④
5	①	②	③	④
6	①	②	③	④

問題 3

	①	②	③	④
れい	①	②	●	④
1	①	②	③	④
2	①	②	③	④
3	①	②	③	④

問題 4

	①	②	③
れい	●	②	③
1	①	②	③
2	①	②	③
3	①	②	③
4	①	②	③

問題 5

	①	②	③
れい	①	●	③
1	①	②	③
2	①	②	③
3	①	②	③
4	①	②	③
5	①	②	③
6	①	②	③
7	①	②	③
8	①	②	③
9	①	②	③

日本語能力試験 完全模試 N3 かいとうようし
第2回 げんごちしき (もじ・ごい)

なまえ
Name

〈ちゅうい Notes〉

1. くろいえんぴつ(HB、No.2)でかいてください。
   (ぺんやボールぺんではかかないでください)
   Use a black medium soft (HB or No.2) pencil.
   (Do not use any kind of pen.)
2. かきなおすときは、けしゴムできれいにけしてください。
   Erase any unintended marks completely.
3. きたなくしたり、おったりしないでください。
   Do not soil or bend this sheet.
4. マークれい Marking examples

よいれい Correct Example	わるいれい Incorrect Examples
●	⊘ ⊙ ○ ◐ ⊖ ◯

問題 1

1	①	②	③	④
2	①	②	③	④
3	①	②	③	④
4	①	②	③	④
5	①	②	③	④
6	①	②	③	④
7	①	②	③	④
8	①	②	③	④

問題 2

9	①	②	③	④
10	①	②	③	④
11	①	②	③	④
12	①	②	③	④
13	①	②	③	④
14	①	②	③	④

問題 3

15	①	②	③	④
16	①	②	③	④
17	①	②	③	④
18	①	②	③	④
19	①	②	③	④
20	①	②	③	④
21	①	②	③	④
22	①	②	③	④
23	①	②	③	④
24	①	②	③	④
25	①	②	③	④

問題 4

26	①	②	③	④
27	①	②	③	④
28	①	②	③	④
29	①	②	③	④
30	①	②	③	④

問題 5

31	①	②	③	④
32	①	②	③	④
33	①	②	③	④
34	①	②	③	④
35	①	②	③	④

日本語能力試験 完全模試 N3 かいとうようし
第2回 げんごちしき（ぶんぽう）・どっかい

なまえ Name

〈ちゅうい Notes〉

1. くろいえんぴつ(HB、No.2)でかいてください。
   (ペンやボールペンではかかないでください)
   Use a black medium soft (HB or No.2) pencil.
   (Do not use any kind of pen.)
2. かきなおすときは、けしゴムできれいにけしてください。
   Erase any unintended marks completely.
3. きたなくしたり、おったりしないでください。
   Do not soil or bend this sheet.
4. マークれい Marking examples

よいれい Correct Example	わるいれい Incorrect Examples
●	◯ ⊘ ◌ ⦵ ⊖ ◍

	問題 1			
1	①	②	③	④
2	①	②	③	④
3	①	②	③	④
4	①	②	③	④
5	①	②	③	④
6	①	②	③	④
7	①	②	③	④
8	①	②	③	④
9	①	②	③	④
10	①	②	③	④
11	①	②	③	④
12	①	②	③	④
13	①	②	③	④
	問題 2			
14	①	②	③	④
15	①	②	③	④
16	①	②	③	④
17	①	②	③	④
18	①	②	③	④
	問題 3			
19	①	②	③	④
20	①	②	③	④
21	①	②	③	④
22	①	②	③	④
23	①	②	③	④

	問題 4			
24	①	②	③	④
25	①	②	③	④
26	①	②	③	④
27	①	②	③	④
	問題 5			
28	①	②	③	④
29	①	②	③	④
30	①	②	③	④
31	①	②	③	④
32	①	②	③	④
33	①	②	③	④
	問題 6			
34	①	②	③	④
35	①	②	③	④
36	①	②	③	④
37	①	②	③	④
	問題 7			
38	①	②	③	④
39	①	②	③	④

日本語能力試験 完全模試 N3 かいとうようし

第2回 ちょうかい

なまえ / Name

〈ちゅうい Notes〉

1. くろいえんぴつ(HB, No.2)でかいてください。
   (ペンやボールペンではかかないでください)
   Use a black medium soft (HB or No.2) pencil.
   (Do not use any kind of pen.)
2. かきなおすときは、けしゴムできれいにけしてください。
   Erase any unintended marks completely.
3. きたなくしたり、おったりしないでください。
   Do not soil or bend this sheet.
4. マークれい Marking examples

よいれい Correct Example	わるいれい Incorrect Examples
●	⊘ ⊗ ◯ ◐ ① ⦸

もんだい 1

	1	2	3	4
れい	①	●	③	④
1	①	②	③	④
2	①	②	③	④
3	①	②	③	④
4	①	②	③	④
5	①	②	③	④
6	①	②	③	④

もんだい 2

	1	2	3	4
れい	①	●	③	④
1	①	②	③	④
2	①	②	③	④
3	①	②	③	④
4	①	②	③	④
5	①	②	③	④
6	①	②	③	④

もんだい 3

	1	2	3	4
れい	①	②	●	④
1	①	②	③	④
2	①	②	③	④
3	①	②	③	④

もんだい 4

	1	2	3
れい	①	●	③
1	①	②	③
2	①	②	③
3	①	②	③
4	①	②	③

もんだい 5

	1	2	3
れい	①	●	③
1	①	②	③
2	①	②	③
3	①	②	③
4	①	②	③
5	①	②	③
6	①	②	③
7	①	②	③
8	①	②	③
9	①	②	③

日本語能力試験 完全模試 N3 かいとうようし
第3回 げんごちしき (もじ・ごい)

なまえ / Name

〈ちゅうい Notes〉

1. くろいえんぴつ(HB、No.2)でかいてください。
 (ペンやボールペンではかかないでください)
 Use a black medium soft (HB or No.2) pencil.
 (Do not use any kind of pen.)
2. かきなおすときは、けしゴムできれいにけしてください。
 Erase any unintended marks completely.
3. きたなくしたり、おったりしないでください。
 Do not soil or bend this sheet.
4. マークれい Marking examples

よいれい Correct Example	わるいれい Incorrect Examples
●	◯ ◉ ⊘ ◍ ◐ ●

問題 1

	1	2	3	4
1	①	②	③	④
2	①	②	③	④
3	①	②	③	④
4	①	②	③	④
5	①	②	③	④
6	①	②	③	④
7	①	②	③	④
8	①	②	③	④

問題 2

	1	2	3	4
9	①	②	③	④
10	①	②	③	④
11	①	②	③	④
12	①	②	③	④
13	①	②	③	④
14	①	②	③	④

問題 3

	1	2	3	4
15	①	②	③	④
16	①	②	③	④
17	①	②	③	④
18	①	②	③	④
19	①	②	③	④
20	①	②	③	④
21	①	②	③	④
22	①	②	③	④
23	①	②	③	④
24	①	②	③	④
25	①	②	③	④

問題 4

	1	2	3	4
26	①	②	③	④
27	①	②	③	④
28	①	②	③	④
29	①	②	③	④
30	①	②	③	④

問題 5

	1	2	3	4
31	①	②	③	④
32	①	②	③	④
33	①	②	③	④
34	①	②	③	④
35	①	②	③	④

日本語能力試験 完全模試 N3 かいとうようし
第3回 げんごちしき（ぶんぽう）・どっかい

なまえ Name

問題 1

	①	②	③	④
1	①	②	③	④
2	①	②	③	④
3	①	②	③	④
4	①	②	③	④
5	①	②	③	④
6	①	②	③	④
7	①	②	③	④
8	①	②	③	④
9	①	②	③	④
10	①	②	③	④
11	①	②	③	④
12	①	②	③	④
13	①	②	③	④

問題 2

	①	②	③	④
14	①	②	③	④
15	①	②	③	④
16	①	②	③	④
17	①	②	③	④
18	①	②	③	④

問題 3

	①	②	③	④
19	①	②	③	④
20	①	②	③	④
21	①	②	③	④
22	①	②	③	④
23	①	②	③	④

問題 4

	①	②	③	④
24	①	②	③	④
25	①	②	③	④
26	①	②	③	④
27	①	②	③	④

問題 5

	①	②	③	④
28	①	②	③	④
29	①	②	③	④
30	①	②	③	④
31	①	②	③	④
32	①	②	③	④
33	①	②	③	④

問題 6

	①	②	③	④
34	①	②	③	④
35	①	②	③	④
36	①	②	③	④
37	①	②	③	④

問題 7

	①	②	③	④
38	①	②	③	④
39	①	②	③	④

〈 ちゅうい Notes 〉

1. くろいえんぴつ(HB、No.2)でかいてください。
   (ペンやボールペンではかかないでください)
   Use a black medium soft (HB or No.2) pencil.
   (Do not use any kind of pen.)
2. かきなおすときは、けしゴムできれいにけしてください。
   Erase any unintended marks completely.
3. きたなくしたり、おったりしないでください。
   Do not soil or bend this sheet.
4. マークれい Marking examples

よいれい Correct Example	わるいれい Incorrect Examples
●	⊘ ⊖ ○ ◐ ◑ ⦿

日本語能力試験 完全模試 N3 かいとうようし
第3回 ちょうかい

なまえ
Name

〈ちゅうい Notes〉

1. くろいえんぴつ(HB、No.2)でかいてください。
   (ペンやボールペンではかかないでください)
   Use a black medium soft (HB or No.2) pencil.
   (Do not use any kind of pen.)
2. かきなおすときは、けしゴムできれいにけしてください。
   Erase any unintended marks completely.
3. きたなくしたり、おったりしないでください。
   Do not soil or bend this sheet.
4. マークれい Marking examples

よいれい Correct Example	わるいれい Incorrect Examples
●	⊘ ⊖ ○ ◎ ① ◐

問題 1

	①	②	③	④
れい	①	●	③	④
1	①	②	③	④
2	①	②	③	④
3	①	②	③	④
4	①	②	③	④
5	①	②	③	④
6	①	②	③	④

問題 2

	①	②	③	④
れい	①	●	③	④
1	①	②	③	④
2	①	②	③	④
3	①	②	③	④
4	①	②	③	④
5	①	②	③	④
6	①	②	③	④

問題 3

	①	②	③	④
れい	①	②	●	④
1	①	②	③	④
2	①	②	③	④
3	①	②	③	④

問題 4

	①	②	③
れい	●	②	③
1	①	②	③
2	①	②	③
3	①	②	③
4	①	②	③

問題 5

	①	②	③
れい	①	●	③
1	①	②	③
2	①	②	③
3	①	②	③
4	①	②	③
5	①	②	③
6	①	②	③
7	①	②	③
8	①	②	③
9	①	②	③